JEUX DE PAPIER

Texte,
réalisations et croquis
de
Geneviève PLOQUIN

Photos
de
Boris TEPLITZKY

FLEURUS
IDEES

EDITIONS FLEURUS - 31, RUE DE FLEURUS - 75006 PARIS

DANS LA MÊME SÉRIE

Titres disponibles:

101. Joies de l'émail
104. Jouez avec le feutrine
105. Joies de la couleur
106. Les perles
108. Bijoux en métal
109. L'émaillage à froid
110. Les bougies (nouvelle édition)
111. Teintures et batik
112. Fantaisies en cuir
113. Avec l'éclisse de rotin
114. Insectes des champs et des bois
115. La fête des fleurs
116. Brins de laine
117. Initiation à la sérigraphie
118. Le métal liquide
119. Inventez vos broderies
120. Le vernis liquide
121. Le modelage sans cuisson
122. Le patchwork
123. « Peindre » avec du papier
124. Les granulés fondants
125. Marottes et marionnettes (nouvelle édition)
126. Métamorphoses des emballages
127. Cordes et ficelles (nouvelle édition)
128. Jouez avec les adhésifs
129. Le papier crépon
130. Reliures à ma façon
131. Travaux de feutrine
132. Clous et fils
133. Vive le macramé!
134. Peintures et impressions sur tissus
135. Jeux de papier

DANS LES AUTRES SÉRIES

Série 100: Livres et jeux d'activités.

Série 104: Ouvrages particulièrement orientés sur la connaissance et la découverte de la nature.

Série 107: Spécialement destinée à ceux qui s'occupent des petits jusqu'à 7 ans.

Plans et Modèles et **Acti-Plans:** Plans ou patrons pour réaliser des objets en volume.

POUVANT ÊTRE MIS DIRECTEMENT ENTRE LES MAINS DES ENFANTS

Série 112: 12 idées de travaux manuels autour d'un thème ou d'un matériau facile.

Premiers essais: Initiation aux activités d'expression.

100 façon de faire: De beaux albums pour de multiples travaux manuels.

Si vous désirez la liste complète de ces ouvrages, adressez-vous à votre libraire ou faites parvenir votre carte de visite aux Éditions Fleurus en mentionnant « Demande documentation sur Fleurus-Idées ».

présentation

A l'heure actuelle, le papier se présente à nous sous des formes si attrayantes et si faciles que l'on a tout de suite envie d'en faire quelque chose.

Les couleurs brillantes, douces, éclatantes, des papiers à dessin les prédisposent aux décors modernes, qui allient les formes simples aux couleurs unies.

Les papiers fins conduisent tout naturellement à de passionnants et précieux travaux de découpages. Ceux-là nous viennent de très loin, et méritent que nous fassions un peu d'histoire à leur sujet.

Le papier est d'origine chinoise, et les Chinois furent les premiers à découper des papiers de soie au canif pour en tirer des compositions fouillées et complexes. Une grande finesse et toute la richesse d'inspiration des pays d'Extrême-Orient s'expriment dans cet art.

Puis le papier arriva en Europe au début du 13ème siècle, suivi, fin 14ème, par les ciseaux.

Mais, avant même le papier, avant les ciseaux, les découpages de parchemin avec pliage en deux, et souvent repliage, existaient grâce aux couteaux de petite taille. Tout un art populaire a laissé des traces, et des plus intéressantes, en Europe Centrale, Suisse, Allemagne.

En France, dès le Moyen Age, on appelait « canivet » le petit canif servant soit à découper le parchemin, soit à tailler les plumes d'oie pour écrire. Il a donné son nom à des découpages minutieux, en papier fin, réalisés surtout dans les couvents. On y trouve des sujets religieux, mais fréquents sont les canivets inspirés de la vie de tous les jours: animaux, arbres, maisons, personnages, fleurs, entrelacs. Ces dessins sont sans prix pour les collectionneurs, et certains sont à la vérité d'incroyables chefs-d'oeuvre de patience et d'invention.

Nous aborderons donc les découpages par pliage en 2 (nous vous donnerons le secret des savants entrelacs), puis pliage en 6, en 8, en 12, etc., d'où les amusants napperons qui, nous le verrons, nous amèneront à réaliser des rosaces, des vitraux, et même une lampe multicolore d'effet très décoratif.

La ribambelle, ce procédé enfantin, peut être enrichie et renouvelée.

Le découpage en positif et négatif, si simple de conception, est très moderne par ses séduisants effets de contraste et de rythme, que nous traduirons en panneaux, dont l'effet est surprenant.

La tapisserie est la plus haute expression du jeu des couleurs, si variées dans les papiers. Elle permet de s'exprimer très librement.

Enfin, nous avons quelque peu abordé le fertile domaine du papier traité « en relief ». Les panneaux donnés ici ne sont que des exemples d'animation de surface. Les décors modernes nous en ont donné le goût. Nous pourrons les agrandir soit en multipliant les motifs, soit en augmentant leurs dimensions. Là aussi, nous vous lancerons sur la piste de luminaires, éclairages ou lampes d'ambiance, très vite réalisés et à très peu de frais.

Toutes les idées que vous trouverez dans ce livre ne sont que des points de départ faciles à adapter en toute liberté. Une fois l'un des exemples réalisé, la technique bien en main, lancez-vous, car le papier, facile à travailler, découper, plier, coller, assure des résultats toujours satisfaisants, et donne l'éveil aux facultés créatrices qui ne demandent qu'à se développer ou qui sont parfois quelque peu endormies.

MATÉRIEL ET CONSEILS GÉNÉRAUX

Les papiers

Parmi la très grande variété des papiers, nous avons fait choix de ceux qui nous paraissent les plus adaptés aux travaux proposés.

Du plus robuste au plus fin, il nous faudra:

- Du **papier Canson,** bien connu, solide, robuste, de couleurs franches. Il se présente soit en rouleaux pour une grande consommation, soit, plus couramment, en feuilles format raisin (65 cm x 50 cm). En plus des couleurs, le blanc et le noir sont indispensables.

- Du **papier Ingres**, plus fin et plus recherché que le précédent. Nous avons surtout utilisé le noir, qui est d'un beau ton velouté. Pour les découpages après pliages, il est plus facile d'utilisation parce que plus fin.

- Du **papier Arches** de très belle qualité. La variété « lavis » (spécial M.B.M3) a été utilisée pour la réalisation des panneaux et luminaires.

- **Arjomari** présente actuellement une superbe **gamme de papiers**, qui donnent à toute décoration un cachet nouveau et très plaisant. Citons:

Le papier de couleur, peu épais, facile à découper, à plier, à coller, d'une gamme de tons très recherchés.

Le papier dit **papier pop** ou papier luminescent, de tons souvent aveuglants, hurlant entre eux, mais dont l'emploi raisonnable met merveilleusement en valeur toutes les couleurs et « réveille » singulièrement n'importe quelle composition.

Le **papier métallisé**, mat, de tons très doux à l'oeil et d'aspect satiné.

Le **papier miroir,** glacé, de jolies couleurs franches, qui donne d'excellents résultats comme papier de fond. Attention toutefois à son collage: la colle cellulosique ne semble pas lui convenir.

• Les **papiers Pantome**: Il s'agit d'une extraordinaire gamme de papiers de couleur, en principe destinés à la préparation de maquettes pour l'imprimerie car ils correspondent exactement aux encres de couleur utilisées pour les impressions. Ils sont vendus uniquement dans les maisons de fournitures pour artistes. Leur prix est assez élevé et les fait réserver à des travaux déjà élaborés. Par contre la gamme de nuances ou les dégradés les rendront précieux pour des recherches de tapisseries.

• Le **papier machine**, blanc, irremplaçable pour certains découpages.

• Le **papier à double**, même format de feuilles, qui offre des couleurs douces dans les bleu, vert, rose mauve, jaune, etc.

La variété dite « pelure d'oignon » a une bonne tenue et des coloris particulièrement réussis.

• Le **papier japon**, aux couleurs très variées, se présente le plus souvent en pochettes, et s'emploie surtout pour les pliages. On peut aussi l'utiliser pour des découpages.

• Le **papier de soie** nous a aussi été utile. Mais une variété proposée déteignant fâcheusement au collage, nous lui avons la plupart du temps préféré le papier à double.

• Le **papier-calque** est indispensable pour les dessins préparatoires et nous l'utiliserons constamment. Le prendre de la qualité la plus mince (il est inutile autant qu'onéreux, dans notre cas, de le prendre épais).

• Enfin, pour renforcer les panneaux, nous aurons besoin de carton, de bonne force, en feuilles.

Les instruments

POUR DESSINER

Nous utiliserons:

- Des crayons, mine grasse, très bien taillés pour avoir un trait précis.

Un crayon blanc est indispensable pour effectuer les tracés sur les fonds noirs ou de couleur foncée.

- Une gomme douce.
- Une règle plate millimétrée et une règle plate en métal pour les découpages.
- Une équerre, de préférence assez grande.
- Un compas pouvant tracer de larges cercles.

POUR DECOUPER

Il faut prévoir:

- Des ciseaux. Selon la force du papier, nous utiliserons des ciseaux forts, solides, ou bien moyens, et même des ciseaux à broder fins et pointus. Les choisir de très bonne qualité.
- Un Cutter, instrument muni de lames qui se renouvellent en les cassant. Est extrêmement pratique et sans danger.

Pour le papier, veiller à renouveler fréquemment la lame, qui doit pratiquement être toujours neuve.

Pour utiliser le Cutter au mieux, se placer sur un carton très fort et épais (ou une plaque de zinc, ou un verre protégé au bord par des collages de Scotch armé).

Les colles

Les choisir selon le papier utilisé.

- La **colle cellulosique** en tube est d'un emploi facile. Elle sèche vite et tient solidement. Pour des collages fins, elle se présente en mini-tube, muni d'une très petite canule: cela permet de déposer un mince fil de colle sous la partie à coller, si fine soit-elle, et le collage en est bien simplifié.

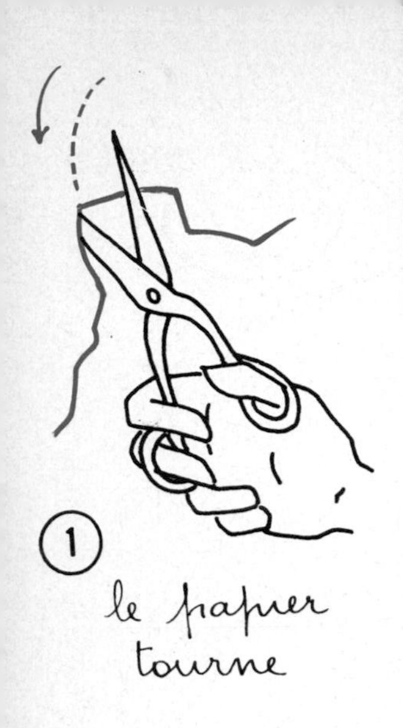

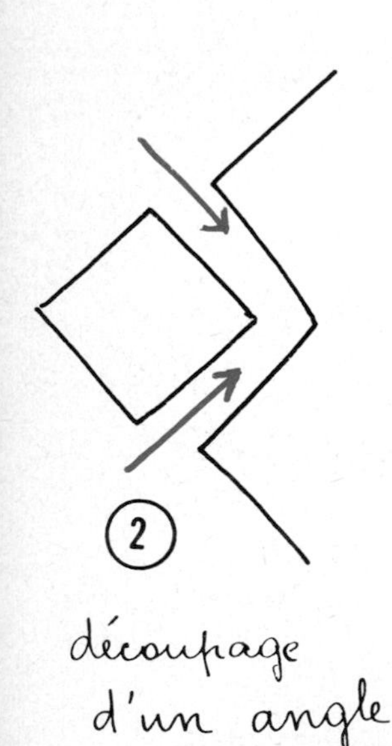

• Les **sticks** (Uhu-Stick en particulier) donnent un collage solide, facile, bien qu'onéreux. Remplace la colle blanche pour ce qui ne supporte pas la colle cellulosique (cellophane, Rhodoïd).

• Pour de grandes surfaces ou, au contraire, des collages très fins (découpages de papier de soie) la **colle liquide ou gomme du Sénégal**. Lui réserver 2 pinceaux souples genre pinceaux pour aquarelle: un gros pour les grands collages, et un plus petit (n° 8 ou 10) pour les collages fins.

• Signalons enfin une colle dont l'emploi est extrêmement intéressant dans le cas de panneaux dont les éléments sont déplaçables ou interchangeables: le **Rubber Cement** qui permet de décoller sans dégât le morceau de papier collé, et de le recoller ensuite.

L'indispensable Scotch ne sera pas oublié, en petite et grande largeurs. Mais actuellement, que faire sans lui?

QUELQUES CONSEILS

Le découpage

• Avec un peu d'entraînement, découper du papier devient un art. On peut, en effet, acquérir une grande dextérité, et laisser agir les ciseaux sans le moindre trait de crayon pour guide.

Pour y parvenir il y a une règle de base à bien observer: c'est toujours le papier qui tourne autour des ciseaux. Les ciseaux, tenus presque verticalement, découpent le papier qui se présente, mais ils ne se déplacent pas pour découper (1).

Bien entendu, cette règle vaut pour les découpages. Mais dans le cas d'un papier de fond à couper à plat, c'est au contraire les ciseaux qui avancent le long du trait pour couper le papier.

• Un angle se découpe en partant successivement des deux côtés (2).

◦ Un évidement (découpage effectué à l'intérieur d'une forme sans entailler ses bords) se découpe de préférence au Cutter. Si l'on tient à utiliser les ciseaux, commencer par le centre de la partie à évider (3). Utiliser, bien entendu, le côté pointu des ciseaux.

Le Cutter s'utilise en tenant la pointe de la lame verticalement (4). Bien veiller à rentrer la lame après usage pour éviter tout risque d'accident.

- Le papier a souvent un endroit et un envers. C'est le cas des papiers Canson (dont le grain est différent selon la face), des papiers Ingres (sur un des côtés, les traits sont plus apparents), du papier japon et du papier luminescent (qui ont une face blanche faiblement teintée). Ceci peut être intéressant dans le cas d'un tissage, mais attention au découpage ou au décalque d'une forme!

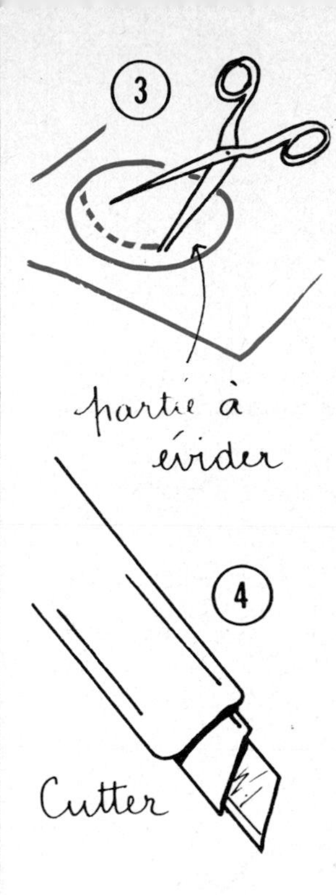

Le collage

Certains collages sont un peu délicats (les découpages en papier fin par exemple). Nous en donnerons la technique au chapitre correspondant.

- De façon générale, ne pas mettre trop de colle.
- Bien encoller toutes les pointes d'un découpage. Au besoin, vérifier après collage en essayant de retrousser doucement les bords, et recoller ce qui n'est pas fixé.
- Le collage d'une forme se fait toujours en partant du milieu, et en écartant vers les bords: appuyer doucement, mais fermement, avec un chiffon propre (5). On obtient ainsi un collage net, sans boursouflures.

Dans le cas du collage d'un fond sur carton, vérifier et recoller les coins si nécessaire.

- Pour un fond, on a toujours avantage à découper une surface légèrement plus grande (4 ou 5 mm de plus dans chaque sens). Après collage et séchage, recouper le papier au ras du carton. Cette façon de procéder évite que

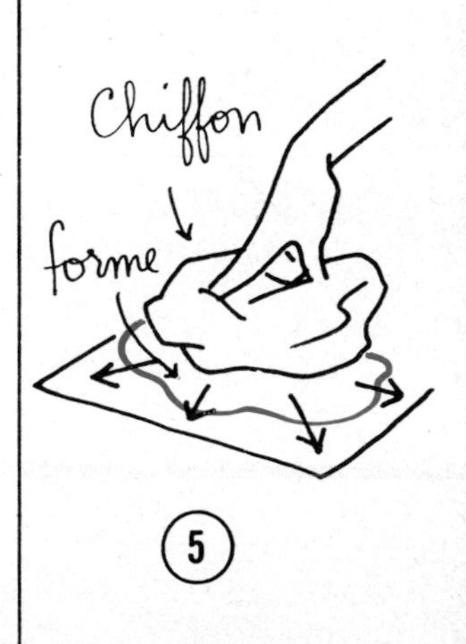

le papier découpé très juste se déplace un peu au collage, et laisse à nu un peu de carton.

Si l'on veut un travail très soigné on peut:

soit peindre à la gouache de même ton que le fond la « tranche » du carton apparente;

soit recouvrir le bord du carton en ménageant une large marge qui sera rabattue derrière (dans ce dernier cas, veiller à former des coins bien nets en procédant comme indiqué sur les croquis).

• Avant d'effectuer un collage, protéger la table par des feuilles de papier kraft ou autres.

Prévoir aussi des chiffons blancs et propres, indispensables pour égaliser l'épaisseur de colle et appuyer sur les surfaces collées.

Le décalque

Pour reproduire un dessin, il faut le décalquer:

• Poser le calque sur le dessin, et le redessiner par transparence.

• Si le dessin doit être reproduit tel, retourner le calque, redessiner les traits sur l'envers, puis retourner encore et frotter le dessin.

• Si le dessin peut être reporté à l'envers (c'est le cas d'un découpage avec pliage en 2, par exemple, ou d'un dessin parfaitement symétrique) il suffit de retourner le calque, et de frotter le dessin avec un outil rond et dur, plioir par exemple. On peut aussi repasser tous les traits du dessin.

Le rangement

Qu'il s'agisse d'une activité collective ou d'une création de loisir individuelle, le travail du papier présente toujours le même inconvénient: il envahit tout, s'étale, prend beaucoup de place, et fait une multitude de petits déchets.

Pour y remédier, un seul mot d'ordre: ranger.

• Les papiers en feuilles seront rangés de préférence à plat, une feuille de kraft séparant les diverses catégories: couleurs, calque, Ingres, métallisé, etc...

Sinon, utiliser un (ou des) carton à dessin, en séparant toujours les catégories de papier par une feuille de kraft débordant légèrement.

Dans un autre carton à dessin, remettre toutes les feuilles entamées et les grands morceaux.

• Si le papier se présente en petites feuilles (1/4 de raisin), il est vendu le plus souvent en pochettes. Il est facile de garder les pochettes pour la récupération des plus petits morceaux, et de placer les feuilles dans un carton à dessin (où le choix est bien plus facile).

Récupérer les chutes, grandes ou petites: elles sont toujours utilisables.

• Pour les panneaux réalisés, prévoir soit des cartons à dessin, soit des punaises (ou pinces à linge) et fils pour les suspendre.

QUELQUES NOTIONS DE DECORATION

Sans entrer dans le détail, rappelons ici quelques notions de décoration qui pourront aider au travail du papier.

LES FORMES

Elles ont une grande importance dans la plupart des travaux présentés ici. Elles peuvent être figuratives, ou non.

Si elles sont figuratives, ne pas pousser trop loin la recherche du détail car notre matériau s'y prête peu. Il faut avant tout rechercher la tache, la silhouette.

Toutes les autres formes doivent être harmonieuses, bien équilibrées (ni filiformes, ni lourdes). Le simple jugement de l'oeil, en éloignant le travail, permet de corriger.

Les formes peuvent être arrondies (en comptant une majorité de courbes), pointues (avec des angles plus ou moins ouverts), ou encore s'inspirer de motifs de style, en se documentant sur des impressions de tissus, des motifs d'architecture, de décoration de meubles, d'objets, etc. Ainsi le découpage romantique de la page 53 a été inspiré par la décoration d'un éventail.

LES COULEURS

Avant toute chose, il nous faut signaler que l'intensité lumineuse des papiers luminescents et même métallisés oblige à mettre de côté des notions acquises: ils élargissent singulièrement la gamme des contrastes et des harmonies, ouvrant la voie à toutes sortes de recherches nouvelles.

C'est ainsi que des couleurs de papiers normaux sont enrichies, gagnent en valeur et en profondeur par leur contact. Un orange est métamorphosé, par exemple, par le voisinage d'un jaune luminescent; de même les bleus, les verts, etc.

Le seul moyen pour juger des résultats obtenus est de faire des essais en juxtaposant des morceaux de papier de diverses couleurs.

Enfin, n'oublions pas que toute couleur est, en fait, composée de vibrations émises sur diverses longueurs d'onde: les récepteurs que nous sommes n'ont pas tous le même réglage, et certains grincent des dents devant des voisinages de tons qui ravissent les autres. Cela s'observe à tous les âges.

Voici cependant quelques notions utiles:

Tout le monde connaît les **couleurs primaires**, qui sont jaune, rouge et bleu.

A partir de ces trois couleurs, sont formées, par mélange, toutes les autres et principalement les **3 couleurs dites complémentaires** soit:

vert = bleu + jaune,

violet = rouge + bleu,

orange = jaune + rouge.

exemple de ferronnerie
voir page 16

Ceci, évidemment, dans l'absolu et en admettant que l'on mélange des primaires (1) très pures en quantités absolument égales.

En fait, suivant le type de couleur de base utilisée (un rouge vermillon, ou un rouge carmin), on obtiendra un violet plus ou moins foncé.

De même suivant la quantité des 2 couleurs de base (plus ou moins de l'une ou de l'autre) utilisées, on obtiendra différentes nuances. Par exemple, l'orange pourra aller du jaune abricot au « mandarine ».

Cette question de nuances est très importante.

Il est bon de savoir néanmoins que pour faire ressortir parfaitement une couleur de base on lui donnera pour voisine sa couleur complémentaire, c'est-à-dire la couleur obtenue par le mélange des 2 autres primaires. Ainsi le jaune a pour complémentaire le bleu foncé ou violet, le bleu a l'orange, le rouge, le vert.

Mais n'importe quel rouge ne s'accommode pas de n'importe quel vert! Et là intervient le **jeu** subtil des **nuances** dont nous venons de parler: les verts, par exemple, en sont particulièrement riches, depuis le vert chartreuse (où la proportion de jaune est très grande) jusqu'au bleu-vert (où le bleu domine).

De même pour les autres couleurs, y compris les bruns et les gris.

Chaque couleur possède également une **qualité de « chaud » ou de « froid »** qu'il est bon de connaître, pour l'utiliser selon l'effet souhaité:

le rouge est chaud, joyeux, excitant,

le jaune, surtout vers l'orange, est ensoleillé, chaud, gai,

le bleu clair est calme, aéré, un peu froid, le bleu plus foncé est froid et triste,

le vert est froid, reposant.

---

(1) Signalons que la plupart des fabricants de peintures ont actuellement mis au point des couleurs de ce genre.

Exemple : le poisson voir page 76

Enfin, la **valeur d'une couleur** est son degré d'intensité, sa « force », et cette notion compte beaucoup en décoration: deux couleurs de même valeur ont tendance à s'annuler, alors que deux couleurs de valeur contrastante se font valoir entre elles (couleur claire près de couleur foncée, valeur faible près de valeur forte). C'est pour cela que le papier luminescent, qui a une très grande valeur, une très grande force de couleur, modifie tous les accords.

Un mot encore sur **le blanc et le noir**, qui ne sont pas des couleurs mais au contraire l'absence de couleur.

Il faut bien remarquer que l'emploi du blanc et du noir est irremplaçable pour faire valoir des formes et des contrastes, dans le cas des positifs-négatifs par exemple.

Le blanc a toujours tendance à se dilater. Il illumine et agrandit la forme qu'il présente: le même découpage en blanc et en noir paraîtra toujours plus grand en blanc. Son emploi judicieux dans un panneau (tapisserie par exemple) éclaire toutes les autres couleurs.

Le noir a pour lui sa profondeur: il met merveilleusement en valeur toutes les couleurs, et sa fréquence d'emploi pour les fonds le prouve. Il valorise particulièrement les couleurs franches et vives.

Les découpages obtenus par simple pliage en 2 d'un morceau de papier sont les plus simples, mais donnent déjà une idée de la magie de la création. Quelle surprise, en dépliant le papier, de découvrir l'image symétrique!

Pour commencer, s'exercer à découper au hasard des ciseaux, pour se familiariser avec cette technique.

LES INSTRUMENTS

- Des ciseaux normaux pour les fonds, des ciseaux plus fins pour les papiers légers, et pour les « finesses » des ciseaux de brodeuse, coupant bien et pointus du bout.
- Un Cutter pour les évidements.

LES COLLES

- Colle cellulosique, en petit tube pour les découpages fins, et pour les plus délicats.
- Colle liquide (gomme du Sénégal).

LES PAPIERS

- Pour les fonds: du papier de couleur (Canson, Arjomari, Ingres noir).
- Pour les découpages, en allant du plus gros au plus fin: papier de couleur Arjomari ou Ingres (le papier Ingres noir convenant particulièrement bien), papier japon, papier machine, papier à double (qui peut être normal ou dit « pelure d'oignon », c'est-à-dire légèrement gaufré) et enfin papier de soie.

forme à découper par repliage

plis successifs

forme non symétrique à découper au Cutter

Technique

La technique est simple:

- Plier le papier en 2.
- Découper selon l'inspiration du moment, ou en se guidant par un léger trait de crayon. Les bords et le pli se découpent aux ciseaux, les évidements au Cutter ou aux ciseaux fins et pointus, en commençant comme le montre le croquis page 9.
- Deux consignes à respecter: bien remplir la surface du papier, et veiller à la solidité des attaches. Les différentes parties du découpage ne doivent pas se déchirer à la moindre manipulation.
- Attention, plier en 2 ne signifie pas se limiter obligatoirement au découpage des bords, on peut aussi:

procéder à des découpages sur le pli;

ouvrir le papier et le replier dans un autre sens: en hauteur, en largeur ou en biais, suivant les effets que l'on veut obtenir;

procéder à des évidements sur le papier plié en 2 pour obtenir un effet de symétrie, ou sur le découpage déplié pour des effets particuliers. Les exemples suivants illustreront ces différentes possibilités.

- Le découpage terminé, l'ouvrir et appuyer sur le pli central pour bien l'aplatir.
- Pour donner toute sa valeur au découpage le coller sur un fond.

Voici maintenant quelques points de départ.

Les ferronneries

Ces découpages sont inspirés des travaux du fer (clés ou ornements de serrures). Sans être compliqués, ils sont cependant très décoratifs.

- Le pliage se fait en long.
- Veiller à l'équilibre des creux et des pleins, varier les découpages du bord.

• Les évidements intérieurs sont faits à partir de découpages du pli. Compléter par des découpages au Cutter. Voir exemple page 12.

Le découpage de papier Ingres noir est séduisant et d'un effet facile: posé sur n'importe quelle couleur vive, il ressort joliment, mais il ne faut pas s'y cantonner.

Les papiers de couleur claire sur fond vif, de couleur franche sur fond gris, de 2 tons de la même couleur, etc. offrent bien d'autres possibilités.

Un découpage qui présente de jolis découpes sur le pli pourra être orné de papier contrastant, collé sur l'envers juste pour boucher ces emplacements. D'où recherches plus complexes des couleurs.

Découpage polonais

Dans le même ordre d'idées et sans plus de difficulté, le découpage polonais de tradition folklorique doit tout son cachet à ses bords finement crantés.

A remarquer que les découpures du bas du motif ont été obtenues en repliant de nouveau le papier juste à l'endroit du découpage. Ce raffinement permet toutes sortes de « découpages dans le découpage ». Voir exemple page 18.

Les oiseaux

Voir photo page 25.

Outre les motifs décoratifs, il est également possible de découper des animaux, des paysages, etc.

N'oublions pas que les découpages par pliage en 2 (et repliage) sont apparus sur parchemin avant même l'arrivée du papier. De nombreux pays avaient tout un folklore du découpage, et les collectionneurs recherchent à prix d'or

découpage Polonais

les minutieux découpages de papier fin. Certaines de ces dentelles sont de vrais chefs-d'oeuvre, d'une incroyable finesse; ils représentent des animaux, des paysages, des fleurs, des entrelacs. Nous n'arriverons sans doute jamais à de telles réalisations, mais on peut toujours essayer...

- Nous avons ici 2 oiseaux face à face.
- Découpage du tour et à partir du pli central, évidements obtenus au Cutter.

• Collage sur papier miroir avec la colle liquide.

A partir de là, tous les oiseaux vous attendent: coq, autruche, dindon, paon, oiseaux fantastiques, etc.

Les papillons

Voir photo page 25.

Ces papillons colorés procèdent du découpage après pliage en 2: un découpage pour les ailes, un découpage pour le corps (1).

• Choisir 2 papiers de couleur contrastante, contrastant également avec le fond sur lequel ils seront collés.

• Les ailes d'une seule couleur sont trop simples: poussez plus loin le découpage en choisissant 2 couleurs ou 2 nuances de la même couleur et en superposant ces 2 découpages. Le découpage supplémentaire sera soit la partie centrale des ailes (2), soit la partie supérieure ou inférieure des ailes (3).

La forme des découpages peut varier en même temps que les couleurs, ce qui rend surprenante la richesse de ces découpages.

Des insectes tels que mouches, libellules... seront pourvus d'ailes transparentes en cellophane (ou en papier de soie, ou en papier à double). Le collage par superposition donne des effets très intéressants (4).

Ne jamais oublier les antennes (fines lanières de papier Ingres noir) qui donnent l'élan à la forme générale du découpage (5).

Les arbres

L'arbre est un excellent sujet d'inspiration: dépouillé avec un lacis de branches, feuillu, accompagné d'oiseaux, de petits lapins, etc. Et combien de variété dans les formes d'arbres, du chêne au houx, en passant par le peuplier... sans compter les arbres de pure invention!

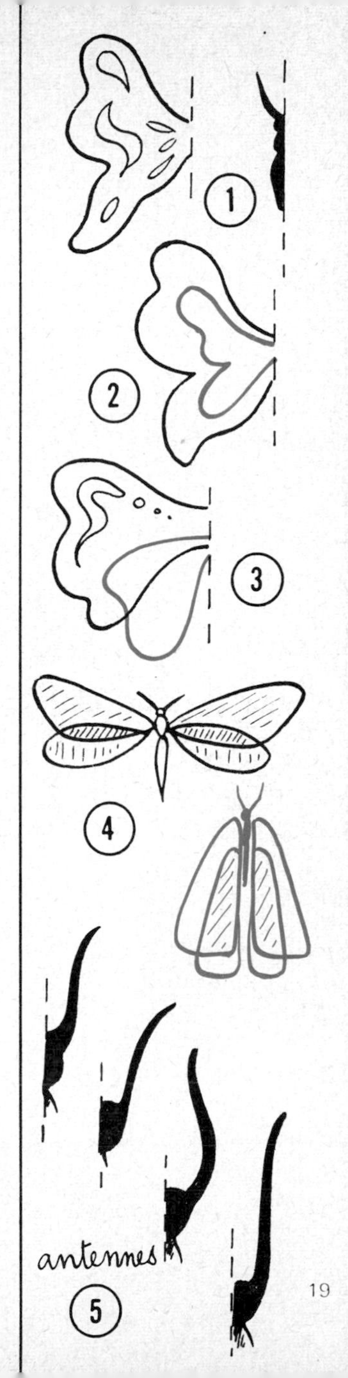

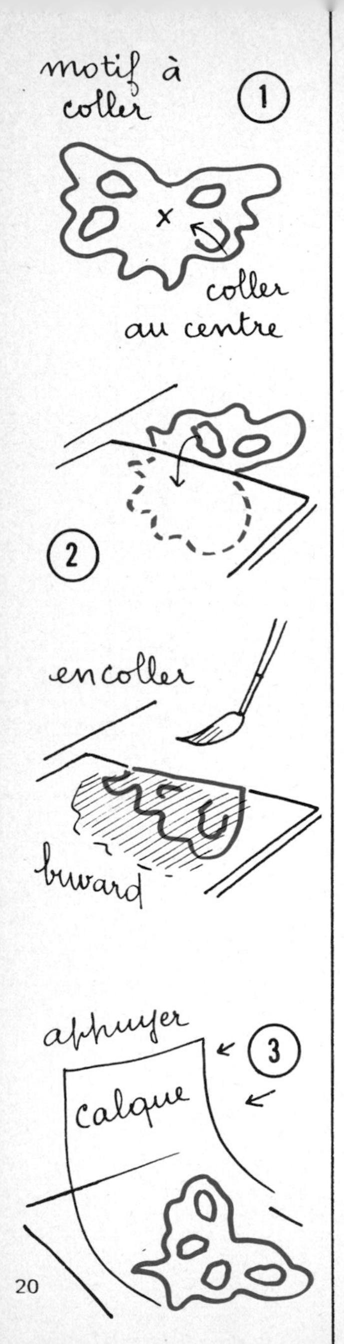

Voir 2 exemples possibles sur la photo de la page 30.

Evidemment pour des découpages de ce genre il est bon d'effectuer préalablement un léger tracé au crayon (on peut s'inspirer des exemples photographiés).

Le collage sur un fond demande du soin pour éviter de déchirer les éléments très fins.

Dessin à l'ancienne

Voir photo page 25.

Si la technique est la même, il demande précision et finesse, mais quel joli résultat!

• Utiliser toujours du papier très fin (papier japon, papier machine ou papier à double).

• Laisser aller votre imagination pour composer un décor d'oiseaux et de feuilles. Guider le découpage par un léger trait de crayon. Veiller seulement:

à rattacher les uns aux autres les divers éléments par des attaches fines (mais pas trop!);

à bien remplir de découpages tout l'espace de papier choisi.

L'exemple donné a été réalisé avec du papier japon collé sur Canson noir. Pour ajouter une note insolite, les 2 découpes en forme de coeur ont été remplies avec du papier orange luminescent.

Les découpages en long sont plus faciles à réaliser parce que la bordure, découpée aux ciseaux, est plus étendue. Les découpages au Cutter sont réduits.

• Le collage se fait avec de la colle liquide, mais du fait de la légèreté de l'ouvrage il est un peu délicat. Voici comment procéder pour réussir au mieux:

Préparer une feuille de papier genre buvard (blanc pour ne pas risquer de déteindre).

Poser le découpage sur le papier de fond, bien en place. Pour plus de sécurité, fixer par un point de colle cellulosique le centre qui ne bougera plus (1).

Rabattre le tiers environ du découpage sur le papier blanc. Passer le pinceau bien imbibé de colle sur toute la surface du découpage (2).

Déplier le découpage sur son papier de fond, poser dessus une feuille de calque, et appuyer doucement, puis plus fort, en veillant bien à obtenir un parfait étalement. Il ne doit pas y avoir le moindre faux pli (3).

Procéder de même en descendant, en repliant les parties du découpage pour les coller ensuite. Dans le cas où (comme nous le verrons plus loin) les différentes parties du découpage ne sont pas rattachées totalement entre elles, veiller à un collage bien symétrique.

Les entrelacs

Voir photo page 27.

Ils font beaucoup d'effet, mais en réalité ils sont faciles à réussir. Employer un papier très fin: papier de soie (mais attention qu'il ne déteigne pas au collage) ou papier à double, de coloris délicat.

Utiliser obligatoirement des ciseaux à broder car les pointes doivent en être très fines.

Si le papier bouge après avoir été plié en 2, cela est gênant pour le découpage: donc le maintenir en collant sur les bords de petites pattes de Scotch à cheval (1).

Le fond sera de préférence blanc, lisse (un bristol convient très bien). On peut aussi utiliser une teinte douce, ou encore du noir, si le découpage est en papier de soie blanc. L'effet est très différent.

Commencer par tracer sur calque le dessin de l'entrelacs (avec plus d'expérience, un trait léger de crayon suffira pour guider):

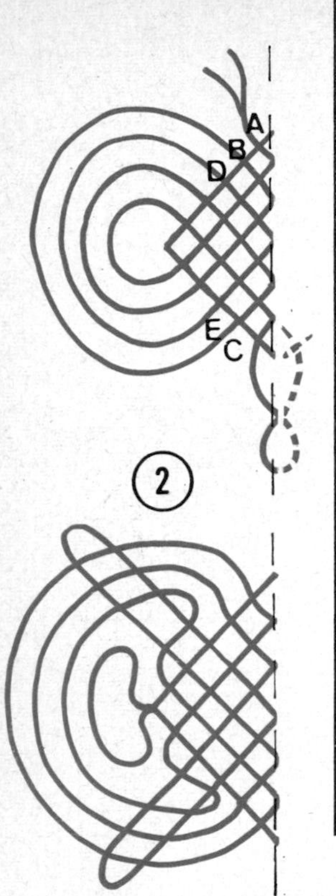

l'entrelacs se compose d'un carré fait de bandes croisées: au sortir du carré, chaque bande qui le compose suit son chemin et forme un motif.

En fait pour donner cette impression de bandes croisées il faut découper finement des petits carrés assez réguliers, et sur le pli des triangles équilatéraux qui, le papier déplié, donneront des carrés.

Pour faciliter le découpage des carrés situés au-delà du pli, on peut replier très légèrement le papier au bon endroit.

Eviter d'utiliser une règle pour le découpage de ces petits carrés: une légère irrégularité n'est pas déplaisante, et accentue le côté « art folklorique » du résultat.

Quant aux bandes issues de ce croisement apparent elles permettent de varier le décor.

Chacune d'elles peut:

- se transformer en branche, avec feuillage, en oiseau, etc. (A),
- rejoindre la bande qui lui est symétrique (B va en C, D en E, etc.),
- aller croiser d'autres bandes (croquis 2).

Les pointes du carré peuvent donner naissance

à 2 autres bandes qui se croisent, deviennent branches, etc (3).

Toutes les complications sont possibles à partir de données très simples, sans autre effort qu'un peu d'imagination.

Grand découpage

Voir photo page 30.

C'est un travail dont les dimensions ne sont pas limitées.

Le découpage donnera un effet particulièrement riche s'il est posé d'abord sur un fond de couleur vive, puis sur un papier métallisé mat (ici orange vif sur or).

- Réaliser un dessin, très ajouré, avec du papier Ingres noir en utilisant ciseaux et Cutter.
- Avant de le déplier, le poser sous un calque et relever l'emplacement approximatif du dessin, en variant les sinuosités du contour comme le montre le croquis.
- Plier le papier de couleur en 2, faire coïncider le pli avec le milieu du dessin sur calque, et décalquer.
- Découper et coller le découpage dessus, bien en place. Comme le découpage n'est pas exécuté en papier très fin, on peut utiliser de la colle cellulosique en petit tube, la finesse de la canule permettant d'encoller suffisamment les différentes parties.
- Enfin, coller le tout sur le papier de fond.

Ces découpages peuvent se renouveler à l'infini, en s'inspirant de différents styles: mauresque, africain, berbère. Les bijoux, les tissus, les ornements d'architecture donneront mille idées.

LES UTILISATIONS

Les utilisations de tels découpages sont multiples, car ils sont, quoique rapidement réalisés, extrêmement décoratifs. Nous en ferons:

- des panneaux, en utilisant un seul dessin,

Rosace. voir page 38

ou des collages en frises, avec plusieurs découpages semblables sur un même fond, ou des découpages différents mais de même couleur sur un même fond, etc.;

- des ornements de décor pour des cartes de voeux (voir des exemples sur la photo de la page 34), de menus, d'invitations;
- des collages sur des boîtes d'allumettes, des boîtes variées (voir exemples sur photo page 37), des livres. C'est une étonnante source d'activité que de chercher puis réaliser des découpages en rapport avec le sujet du livre; le livre est ensuite recouvert normalement de papier de couleur, et le découpage collé sur la couverture avec rappel sur le dos;
- des décors de plaques de propreté (particulièrement indiqués pour les découpages type ferronneries);
- et, pourquoi pas, un décor important, tel paravent, mur, porte.

Dans le cas d'une **activité collective**, ces découpages sont les bienvenus:

— donner à chaque enfant un papier de même format, qu'il découpera selon sa fantaisie;

— coller ensuite tous ces découpages sur un panneau, ou en longue frise.

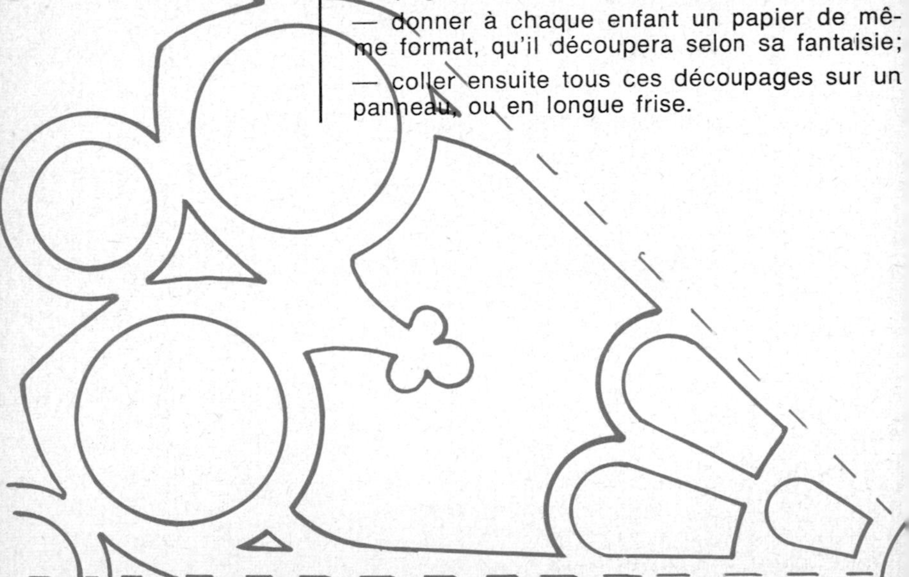

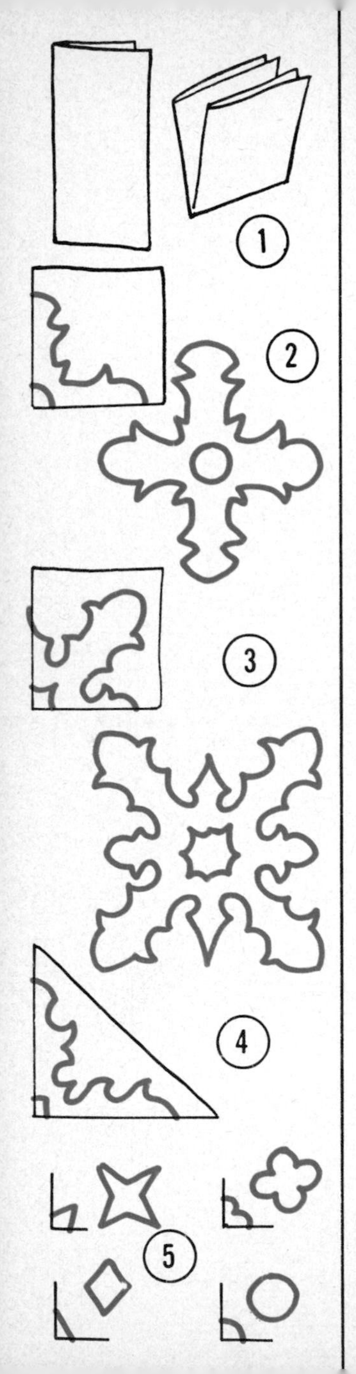

PLIAGES EN 4

Pas plus compliqués que les pliages en 2 ils permettent cependant d'obtenir des formes plus recherchées.

TECHNIQUE

• Prendre un carré de papier, le plier selon les médianes en 2, puis encore en 2 (1).

• En découpant comme le montre le croquis 2 on obtient des « branches » semblables 2 par 2.

• En découpant comme sur le croquis 3, on obtient 4 branches semblables mais se répétant dans une disposition symétrique par rapport aux diagonales.

• Au lieu de plier selon les médianes, le pliage peut s'effectuer selon les diagonales: les branches sont un peu plus longues que pour le pliage 2 précédent (4).

• Enfin, au centre, effectuer toujours un petit découpage qui, comme le montre le croquis 5 donnera un vide en forme d'étoile, de carré, de rond, etc... et allégera le découpage.

Le panneau

Voir photo page 39.

Voici un petit panneau très amusant à réaliser, car la surface de fond est très vite remplie. Aussi pourrez-vous l'effectuer en beaucoup plus grand: cela peut être l'occasion pour des enfants de réaliser rapidement un panneau collectif.

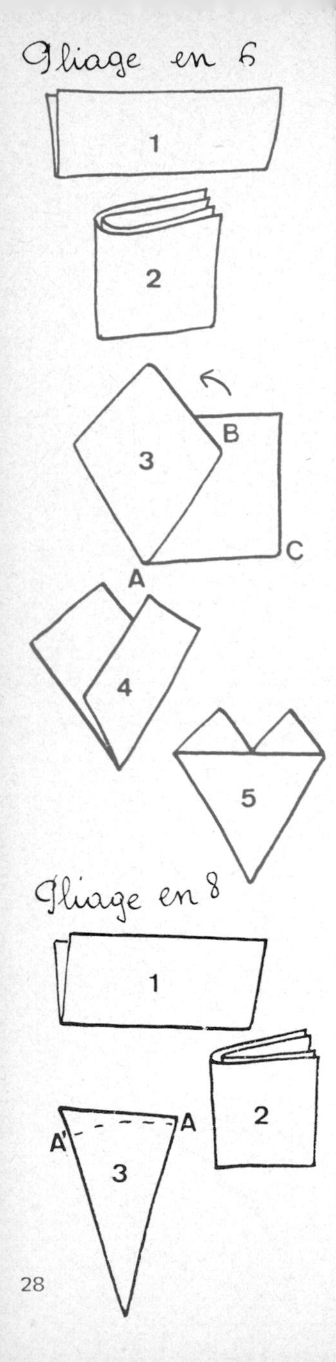

Les découpages sont tous réalisés après pliage en 4 selon les médianes, ce qui donne des sortes de croix. Ces croix sont collées en position alternée, pour obtenir un certain rythme.

- Découper, selon la surface à couvrir, le nombre voulu de carrés de papier noir (Ingres si le panneau est petit, Canson s'il est grand).
- Plier, découper selon sa fantaisie.
- Pratiquer au centre un vide de forme variée.
- Déplier les découpages, et coller au centre de chacun un morceau de papier de couleur vive (ici 4 tons de papier luminescent).
- Disposer les découpages en place. Les coller avec un trait de colle cellulosique.

PLIAGES EN 6, 8, 12, 16...

Ces pliages dits « napperons » ont l'avantage d'être très faciles et rapides à réaliser. Ils intéressent tous les âges.

LE PLIAGE EN 6

- Couper une feuille au carré.
- La plier en 2, plier en 2 encore mais appuye seulement légèrement la base du pli pour mar quer le milieu.
- Plier en 3: surtout dans les petites surfaces les plis se font tout seuls.

Regarder le croquis 3: le pli AB doit être bien au fond du pli formé en repliant AC sur le bord extérieur.

- AC étant bien exactement sur le bord, on obtient la fig. 4, l'autre côté étant la fig. 5. C'es sur ce côté que se feront les découpages, pou ne pas avoir de surprise en dépassant la ligne du papier.

LE PLIAGE EN 8

- Plier le papier en 4, puis encore en 2.
- Attention, pour avoir un découpage à bord rond, il faut reporter A sur A'.

LE PLIAGE EN 12

• Plier en 6, puis encore en 2.

De même, pour un **pliage en 16**, on plie en 8, puis encore en 2.

• Pour ces découpages, il est nécessaire de se servir de papier fin, car une trop forte épaisseur nuit au découpage: on risquerait alors que les découpages largement entaillés sur les plis du dessus deviennent minuscules au fur et à mesure que l'on atteindrait les plis intérieurs.

Le panneau fleur

Voir photo page 34.

A partir de ces différents pliages et découpages, nous réaliserons un amusant panneau, qui peut être l'objet d'un travail collectif même pour de jeunes enfants, chacun découpant une fleur dans un carré de couleur différente, mais de mêmes dimensions.

Les fleurs obtenues restent très simples: c'est le jeu des couleurs qui apporte la variété.

MATERIEL

• Papier fin, papier luminescent et papier Arjomari.

• Pour le fond, papier miroir vert. Pour son collage sur carton, employer de la colle en stick ou liquide.

REALISATION

• Découper une grande variété de fleurs, en restant dans la simplicité. Nous donnons ici quelques idées de pétales. Rappelons que le même découpage, dans un pliage en 6 ou en 12, donne un résultat tout différent.

• Ne pas oublier l'ouverture du coeur, qui, munie d'un papier de couleur, permet d'augmenter le jeu des contrastes.

• Coller les fleurs en place.

• Découper quelques feuilles vertes, et les coller de façon plaisante.

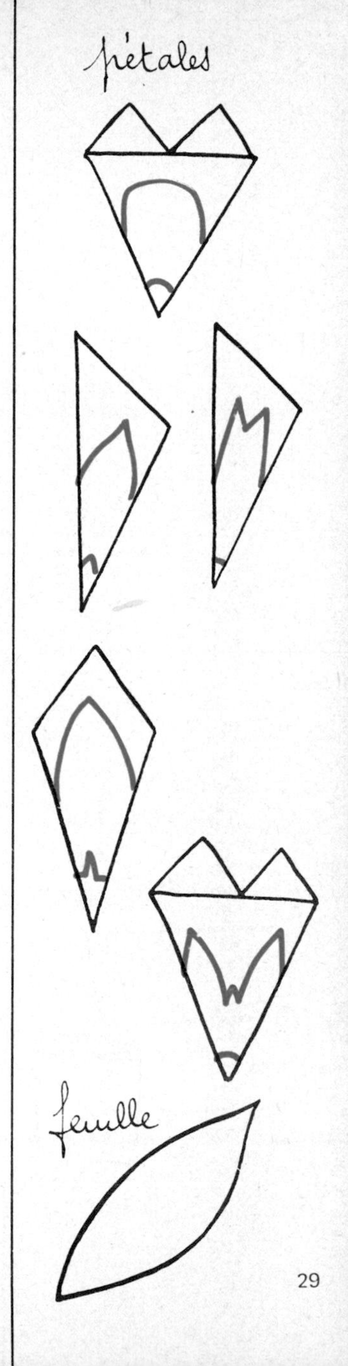

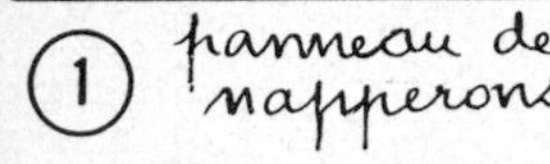

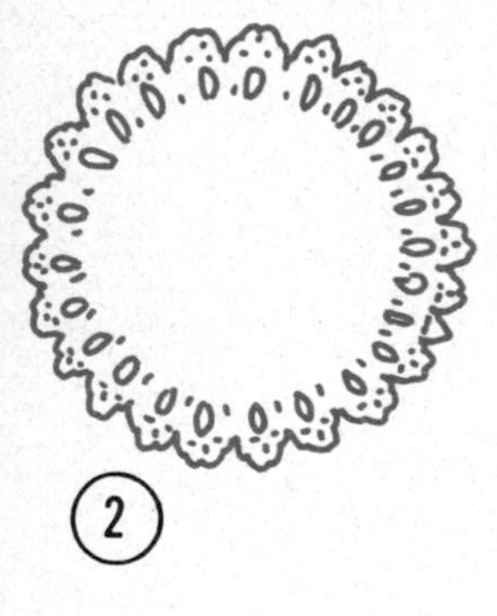

Les napperons

Voir quelques exemples sur la photo de la page 43.

Ces napperons ou « papier dentelle » sont découpés dans du papier fin. Le plus adapté est le papier machine, blanc de préférence.

La technique est très simple: après pliage en 8 ou 12 (6 donnant un découpage trop simple et 16 étant trop épais) découper les bords aux ciseaux.

Les découpages donneront toujours un évidement symétrique, le demi-cercle un cercle entier, le triangle un losange, etc., comme le montre le croquis 1.

De même, il est possible de découper des formes figuratives telles fleur, oiseau, personnage, etc. (2).

Dans les pliages en 12, le découpage des bords est suffisant pour bien ajourer et donner un napperon « dentelle ».

Dans le découpage en 8 (a fortiori en 6) il est bon d'ajouter quelques évidements au centre de la forme. Pour cela, utiliser le Cutter. Si le papier est difficile à traverser, ne pas insister: retourner la forme et se guider sur les traces pour un découpage complet.

De même si, après dépliage, le découpage présente des bavures, reprendre aux ciseaux fins.

UTILISATIONS

Elles sont très nombreuses.

- Tout d'abord, le napperon collé sur fond de couleur contrastante est un élément très décoratif. On peut en composer une frise, un panneau, en variant les grandeurs et les couleurs des napperons (1).
- Si l'on découpe le bord seulement, en laissant le centre plein, c'est idéal pour présenter le gâteau du dimanche (2)!
- Pour un cadeau, nous en ferons un service à porto.

Recouvrir un rond (ou un carré ou un octogone) de carton de Canson ou d'Arjomari de couleur vive, coller dessus un napperon joliment découpé, et recouvrir le tout d'adhésif transparent. Coller dessous la même forme d'adhésif transparent, mais moins grande de quelques millimètres. Le dessous de verre est ainsi parfaitement lavable (3). Voir photo page 48.

- Les napperons découpés dans du papier or ou argent sont une décoration idéale pour Noël. Essayer de placer une boule de Noël rouge sur un napperon or: quel éclat!
- Les napperons de papier à double permettent de décorer très joliment un abat-jour. Partant de cette idée, voici:

Une lampe

Voir photo page 46.

MATERIEL

Il est évidemment possible de se servir d'un abat-jour du commerce, mais les montants en fil de fer qui tiennent entre eux les cercles du haut et du bas donnent des ombres fâcheuses et nuisent à la décoration. Il est donc préférable de faire le tout soi-même. Prévoir donc pour la lampe:

- Du carton.
- De la colle cellulosique et liquide, du Scotch.
- Une boîte ronde de 10 cm de diamètre et 6 cm de haut qui servira de socle, ou bien le carton mince nécessaire à sa confection.
- Un peu de bristol blanc ou, mieux, de papier miroir blanc.
- Un morceau de 50 cm x 30 cm d'Opalux.
- Du papier à double de toutes les couleurs.
- Des galets ou gros cailloux pour lester la lampe.
- Pour le montage électrique: une ampoule opalisée de 25 watts (40 donne un éclairage

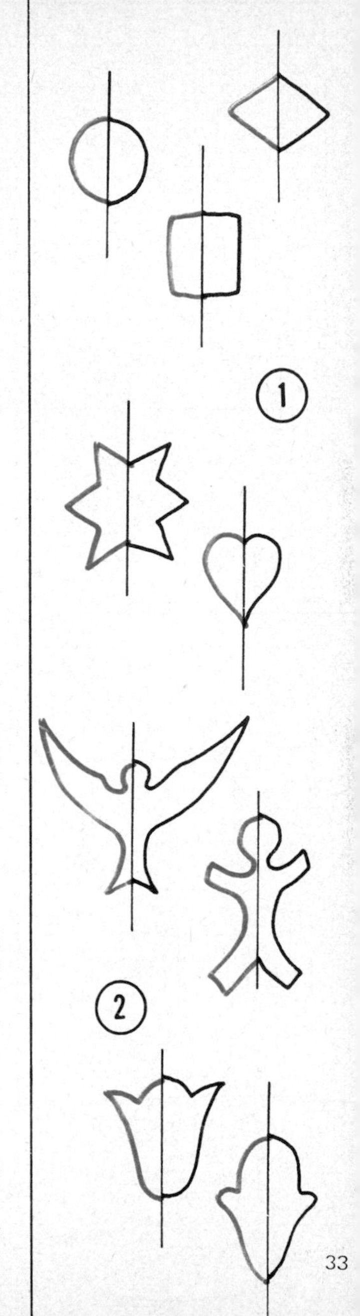

trop fort pour ce genre de lampe), une douille à double bague, un interrupteur, une prise mâle.

• Du fil électrique.

• Une pince coupante, un petit tournevis.

REALISATION

Suivre attentivement l'ordre des explications.

• Si la boîte-socle est à faire, tailler une bande de carton de 31,5 cm x 6 cm. L'arrondir doucement entre les mains.

• Coller les 2 extrémités avec un morceau de Scotch posé des 2 côtés (1). Veiller à mettre les bords bien exactement l'un contre l'autre.

• Percer un trou pour le fil (1).

• Découper pour le fond un rond de 10 cm de diamètre. Le coller au bord avec du Scotch (2).

• Découper un cercle de 15 cm de diamètre. Tracer dessus un cercle de 10 cm de diamètre, puis évider au centre pour le passage de la douille (3).

• Coller sur le tour de la boîte une bande de papier miroir blanc de mêmes dimensions + 1 cm pour la patte de collage. Evider le trou pour le passage du fil (comme sur la boîte) et placer cette patte de collage près du trou (4).

• Dévisser la douille.

• Dénuder le fil électrique sur 1 cm, séparer les 2 moitiés du fil (5).

• Passer le fil par le trou de la boîte à travers la douille et le monter sur la partie porcelaine, en plaçant chaque extrémité dénudée dans un des plots. Revisser les vis (6).

• Visser le haut de la douille.

• Introduire la première bague sur la douille, la passer dans le trou du rond de carton (le cercle dessiné de 10 cm de diamètre se trouvant par-dessous).

• Visser la seconde bague par-dessus, de telle sorte que le rond de carton se trouve pris entre les 2 bagues. Bien serrer (7).

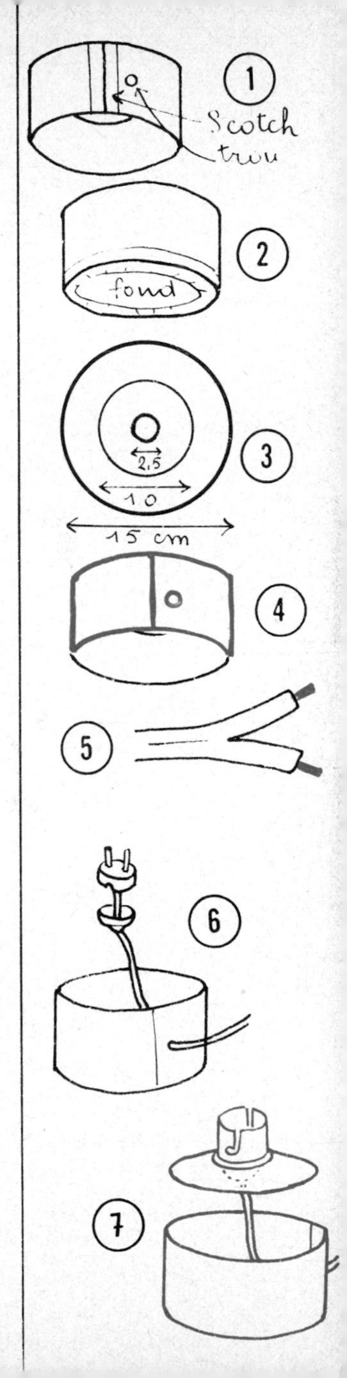

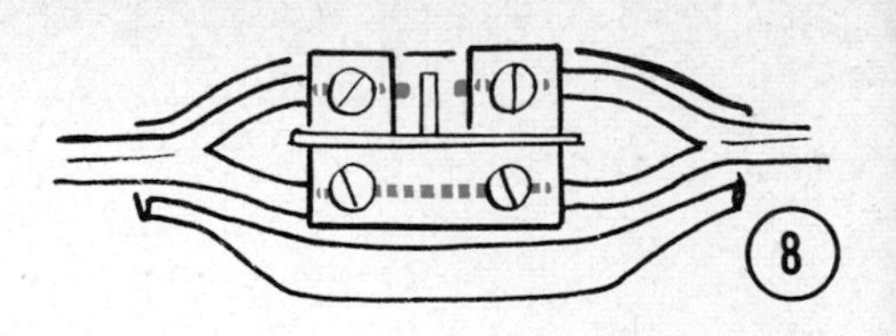

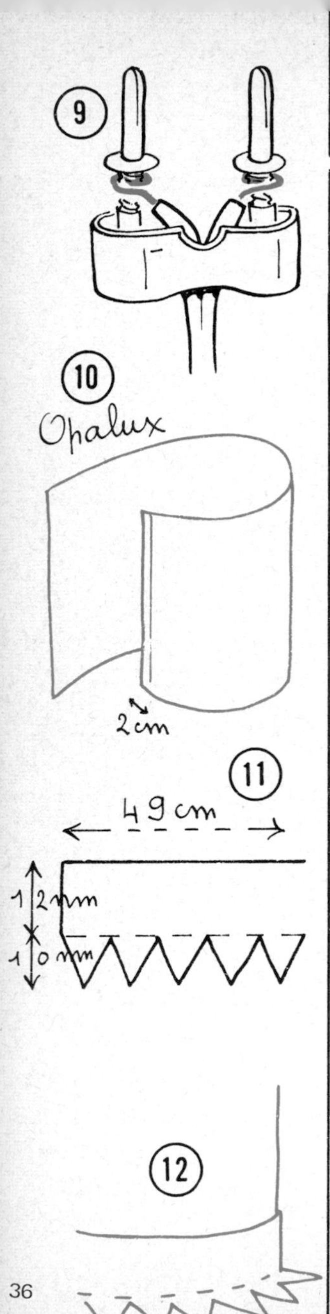

• Monter l'interrupteur selon son type (le croquis 8 donne le montage d'un type courant).

• Monter également la prise mâle (9).

• Découper dans l'Opalux un rectangle de 49 cm x 26 cm. Tracer légèrement un trait vertical à 2 cm du bord sur un des petits côtés (10).

• Préparer dans le papier à double des carrés de 10 cm de côté. Les découper en rosaces bien ouvragées.

• Les coller harmonieusement sur l'Opalux en utilisant la colle liquide (les coller moitié par moitié pour un meilleur collage).

• Découper 3 bandes dans le papier miroir blanc: une selon le croquis 11, les 2 autres ayant 12 mm de haut et toutes les trois 49 cm de long.

• Cranter la première bande sur toute sa longueur.

• Avec la colle cellulosique coller l'Opalux sur lui-même au ras de la ligne dessinée.

• Coller la bande crantée en bas, au ras de l'Opalux (12).

• Coller une des autres bandes en haut, à l'extérieur, la dernière à l'intérieur (13 pag. 38).

• Reprendre la boîte-socle, y coller (avec la colle cellulosique) quelques galets ou gros cailloux pour l'alourdir.

• Prendre le rond de carton portant la douille et coller (à la colle cellulosique) dessous les dents de la bande inférieure de l'abat-jour en les repliant une par une pour assurer un meilleur collage (14).

• Enduire de colle le bord de la boîte et le

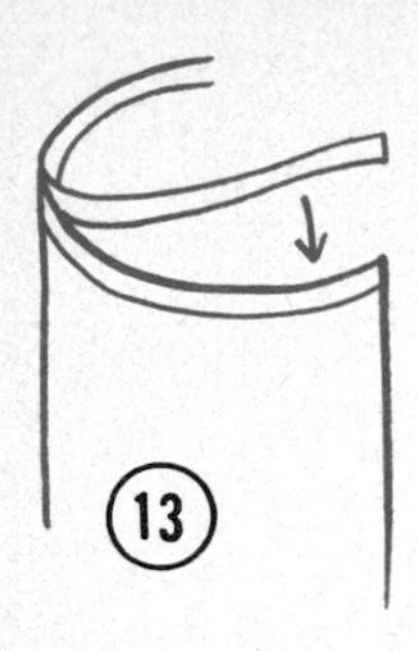

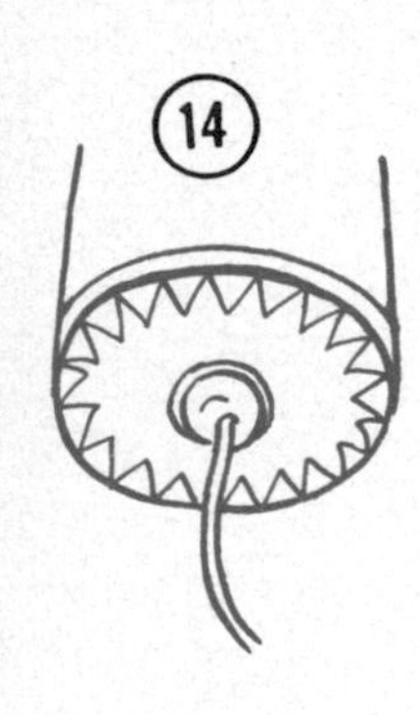

cercle dessiné sous le rond de carton. Laisser sécher un moment, remettre un peu de colle, puis poser bien en place, et presser quelques instants.

LES ROSACES

Les pliages et découpages que nous venons de réaliser ont donné des ornements à 8, 12, 16 « tranches » symétriques. De là à la rosace, il n'y a qu'un pas...

Il s'agit, en fait, d'obtenir un découpage régulier... une sorte d'armature inspirée de l'architecture des rosaces de cathédrales, les vides étant ensuite comblés par des collages de papier de différentes couleurs.

Ce travail est un peu délicat, surtout au moment du collage sur un fond, mais les résultats obtenus en valent la peine.

Les recherches de couleurs sont passionnantes, et le cloisonnement des rosaces permet particulièrement de mettre les nuances en valeur.

C'est l'occasion d'essayer le papier luminescent, et de constater combien, mêlé aux couleurs vives des autres papiers, il les change et leur donne de la profondeur.

Pour les armatures, utiliser du papier Ingres noir, qui se découpe et s'évide au Cutter sans difficulté.

L'exemple que nous présentons sur la photo page 51 est un pliage en 8 qui n'a posé aucun problème de découpage. Les évidements au Cutter ont été terminés à l'envers. S'il se présente quelques imperfections, reprendre aux ciseaux fins une fois la rosace dépliée.

La réalisation est simple:

• Commencer par découper la rosace dans le papier Ingres, après pliage en 8.

Attention, une des caractéristiques de ce type de découpage consiste à obtenir une armature dont les tracés soient sensiblement de même largeur.

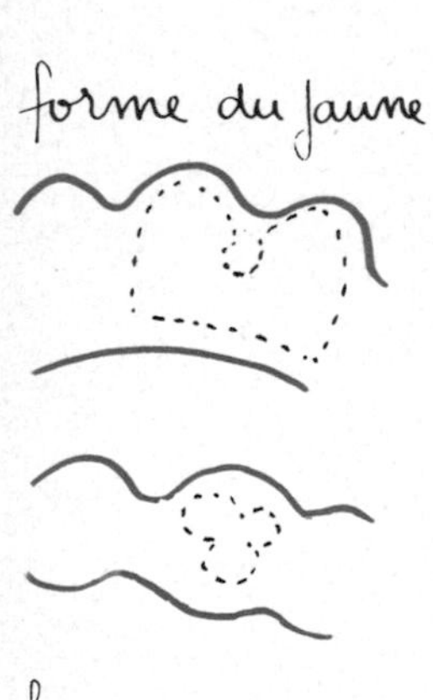

A titre d'exemple vous trouverez page 24 le tracé de la rosace présentée sur la photo.

- Découper les évidements au Cutter.
- Déplier, poser dessus une feuille de calque.
- A l'aide d'un crayon gras relever la forme des évidements, ou du groupe d'évidements qui doivent être garnis de la même couleur. Voir sur le croquis les tracés en couleur qui explicitent ce travail.

Bien noter que ce tracé doit être fait à peu près au centre des arabesques de l'armature.

- Préparer ainsi un calque par couleur recouvrant des groupes d'évidements, et sur des chutes de calque relever le tracé des petites pièces.
- Reporter ces tracés sur les papiers de couleur qui rempliront les évidement. Découper.
- Coller à l'aide d'un fil de colle cellulosique posé sur l'armature (utiliser de préférence un petit tube muni d'une fine canule qui évite les bavures).
- Procéder de même pour les différentes couleurs.

Ne pas craindre de faire chanter les couleurs. Ici un minuscule morceau de bleu parmi cette gamme de jaunes donne un effet inattendu et très réussi.

- Lorsque tous les collages sont terminés, si la rosace paraît un peu faible la coller sur un rond de carton. Ce carton doit avoir quelques millimètres de moins que le contour extérieur de la rosace, et être parfaitement invisible.

Tous les papiers sont utilisables dans une telle rosace, même le papier de soie ou le papier à double. La seule chose qui compte est la nuance du papier.

Le papier Ingres noir pour l'armature, s'il est classique, n'est pas indispensable. Penser aussi aux papiers métallisés, or, ou simplement de couleur foncée.

Le terme de rosace vient de rose, qui évoque un découpage rond. Mais pourquoi ne pas essayer un découpage carré, triangulaire, en forme d'étoile?

UTILISATIONS

Les utilisations de telles rosaces sont faciles à trouver:

- Prises séparément ou dans une gamme de même couleur, elles forment un élément de décor très attractif.
- Suspendues, elles orneront un mur, une porte.
- Posées sur un meuble et recouvertes de plastique adhésif transparent, elles serviront de plateau inattendu, de dessous de plante, etc.

LE VITRAIL

Voir photo page 51.

Si le matériau utilisé pour orner les cloisonnements de la rosace est transparent au lieu d'être opaque, cela conduit tout naturellement au vitrail, que la moindre lumière change en décor précieux.

L'armature de la rosace ne change pas: il s'agit d'un papier Ingres noir (obligatoirement noir, ou alors gris très foncé), à la rigueur d'un papier Canson noir (mais il pose quelques problèmes pour le découpage).

Les modèles pour les rosaces ne manquent pas. Les cathédrales gothiques en sont riches, et l'on trouve de nombreuses cartes postales qui les représentent.

Nous nous sommes inspirés ici d'une rosace de Notre-Dame de Paris. Le schéma au 1/8e de l'exemple proposé ici est donné ci-contre.

L'armature découpée il y a deux manières de réaliser la décoration de ce vitrail:

Premier procédé:

- Coller la rosace une fois dépliée sur un rond de Rhodoïd transparent (utiliser la colle blanche ou une colle spéciale pour Rhodoïd).
- Ensuite, par derrière, peindre les différentes

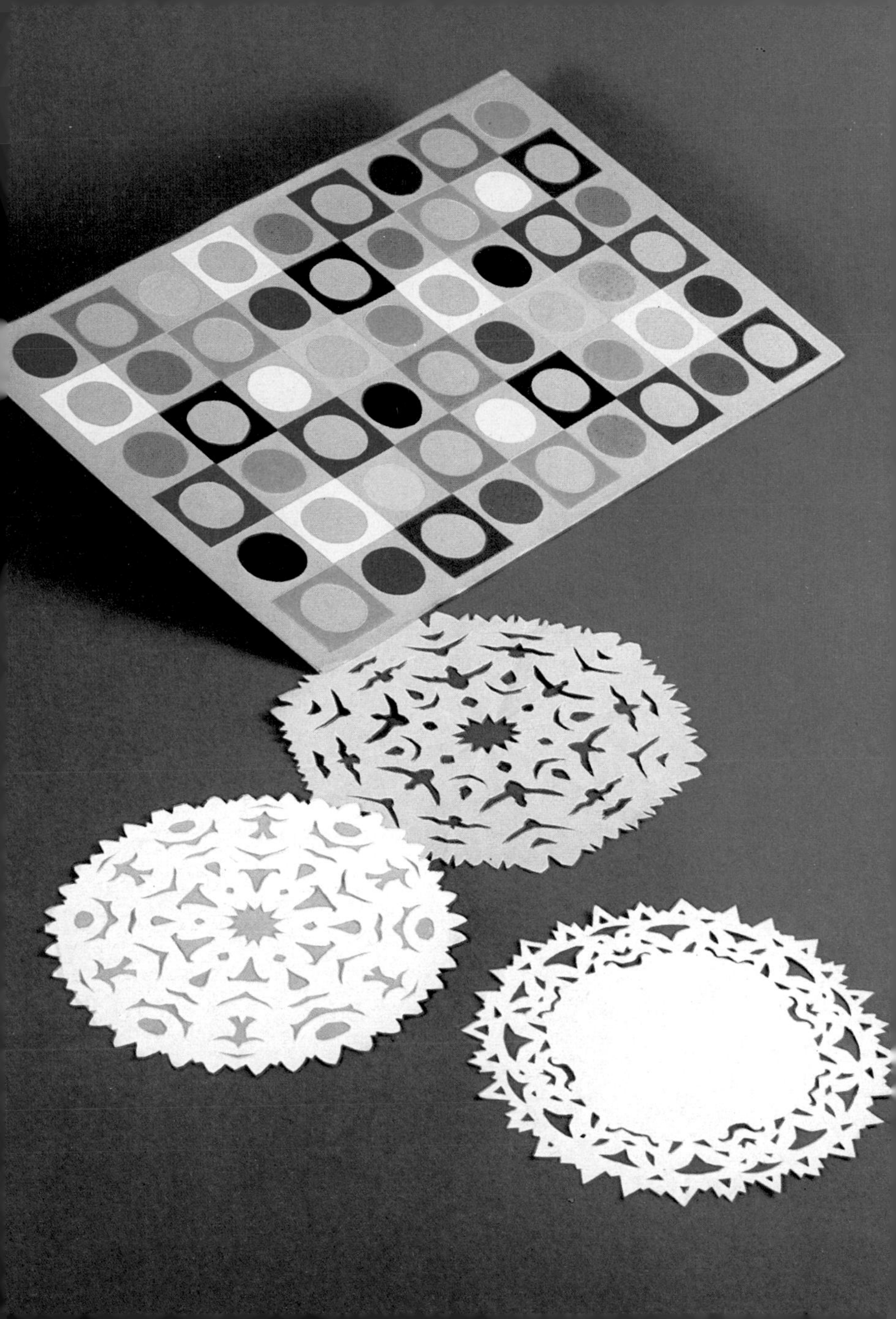

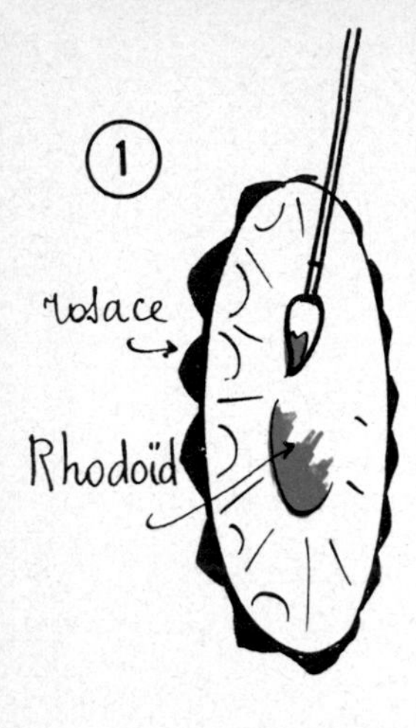

parties avec une peinture transparente spéciale (1).
Ce procédé est facile, réalisable même par les plus jeunes.

Second procédé:

Celui-ci est plus complexe:

- En se mettant sur l'envers de la rosace, coller sur chaque ouverture de la cellophane (ou de la Rhodialine ou du Rhodoïd de couleur).

En fait, procéder exactement comme pour le papier opaque de la rosace. Si une même couleur doit occuper un groupe d'évidements, coller en une seule fois (2) en n'omettant pas toutefois de poser un fil de colle sur les tracés de l'armature qui se trouvent recouverts par le morceau de matière.

- Si, après le collage, le vitrail paraît faible, le renforcer en collant derrière un Rhodoïd transparent (cela ne modifie pas beaucoup la transparence).

UTILISATIONS

- Nous en ferons un décor de Noël, en fixant les vitraux à l'aide de Scotch sur les vitres.
- Suspendu devant une lampe de faible voltage, le vitrail s'illuminera.
- Comme précédemment, penser aux découpages, mais en forme d'étoile, de fleur, etc.

LES RIBAMBELLES

Ce sont des découpages obtenus eux aussi par pliage, mais le pliage en accordéon d'une bande au lieu d'un carré.

---

(1) Ces couleurs spéciales, en vente dans les librairies éducatives, se trouvent dans différentes marques, par exemple: Couleurs vitrail (Lefranc-Bourgeois), Couleurs liquides Iris (Paillard), Vercolor (Talens), Email antique pour vitrail (Pébéo), Vitrémail (Playjeux), Vitrail color (Dix Doigts).

Tout le monde a fait de ces sortes de découpages, et ils ont le don de ravir les tout-petits par la découverte, au dépliage, d'une frise toute faite du même motif répété de nombreuses fois.

LA RIBAMBELLE CLASSIQUE

Comme le montre le croquis 1, partie d'un personnage aux 2 côtés symétriques, une fois dépliée elle montre une ronde de petits personnages qui se donnent la main.

Le principe est le suivant:

- Utiliser un papier assez mince pour découper facilement les nombreuses épaisseurs.
- Découper toujours le centre d'un personnage sur le pli (sinon on n'a qu'un demi-personnage pour commencer ou finir).
- Laisser un joint entre les motifs (ici la main).

VARIANTES

Mais on peut aussi imaginer bien des variantes:

- Ces amusantes grenouilles (voir photo page 48) qui sont ensuite collées sur un papier de couleur contrastante pour faire une frise (2).

Attention toutefois à la monotonie engendrée par la répétition d'une même forme. Il est bon d'ajouter un détail gai et changeant: ici chaque grenouille a été dotée d'un collier de la même forme mais pas de la même couleur. On aurait pu aussi leur ajouter un chapeau, une fleur dans la « patte », etc.

- Les maisons se découpent aussi en ribambelle. Leur fenêtre illuminée différemment par collage d'un papier jaune, vert, orange, rouge, etc. rompt la monotonie.
- Nous ferons également des rondes de personnages ou d'animaux, en laissant un petit socle sous chacun, ce qui leur permettra de tenir debout (lapin, oie, etc.).

Les rondes de personnages sont particulièrement intéressantes, car elles peuvent partir d'un personnage neutre et, par coloriage ou

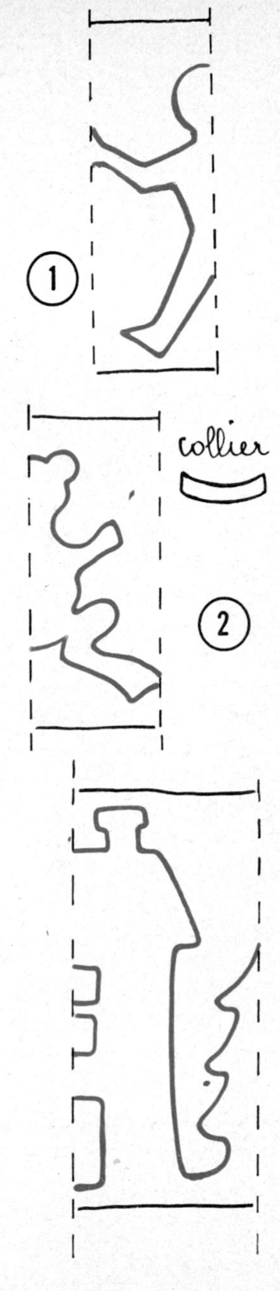

collage, devenir très vivantes. Une ronde paysanne, un défilé folklorique, un défilé militaire (à la queue leu leu!), un décor de crèche peuvent être ainsi réalisés.

Si la dimension des personnages est assez importante (une vingtaine de centimètres) il sera bon de les découper seulement en double dans du Canson fort blanc, et de coller les silhouettes par 2 avec de la colle cellulosique.

• Enfin, un très intéressant panneau peut être réalisé en travail collectif:

La ribambelle comporte le personnage classique, neutre, de 20 cm minimum. Elle est collée sur fond neutre.

Chaque enfant habille son personnage, et là toutes les fantaisies sont permises. On peut même changer la tête dudit personnage.

La fête aux lanternes

Voir photo page 55.

Voici une amusante utilisation des papiers luminescents, qui donnent ici l'impression de lanternes allumées, impression accentuée par un fond bleu métallisé.

MATERIEL

- Papier Ingres noir, bleu moyen.
- Un peu de papier luminescent vert, jaune foncé, jaune clair, orange et rouge.
- Papier métallisé bleu pour le fond, renforcé par un collage de carton derrière (collage réalisé à la colle blanche).
- Colle cellulosique en petit tube pour le collage des personnages et autres.

REALISATION

- Découper des bandes de 20 cm x 6 cm dans les papiers noir et bleu: 4 noires, 4 bleues.
- Faire un repère discret au crayon tous les 5 cm. Plier en accordéon, en se guidant sur les repères.

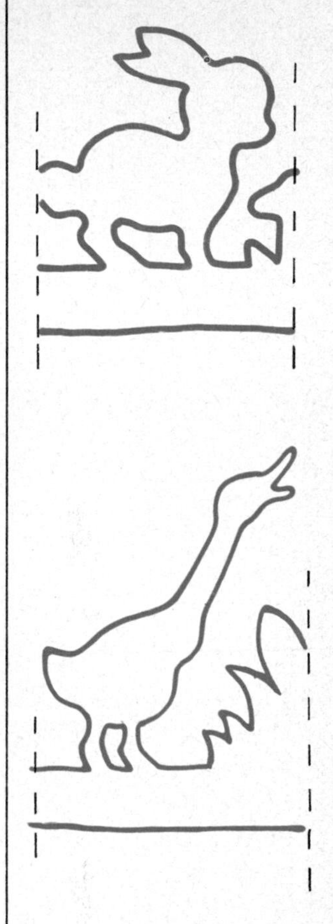

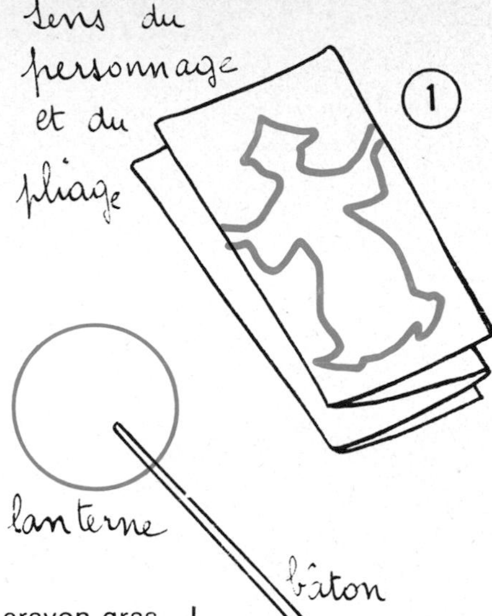

- Sur un papier-calque, relever au crayon gras le dessin du personnage.
- Retourner le calque et le poser sur le dessus d'une bande bleue. Attention de bien placer le sujet comme le montre le croquis, le pli de la bande toujours du même côté, sinon le petit personnage ne se dirigerait pas dans le même sens (1).
- Reproduire le dessin en frottant sur le calque. Si le crayon noir ne'st pas assez apparent sur le papier noir, utiliser le crayon blanc.
- Découper toutes les bandes.
- Coller en place en décalant les ombres et les personnages c'est-à-dire les bandes noires en superposition des bandes bleues.
- Découper les pastilles dans le papier luminescent (3 ou 4 dans chaque couleur).
- Découper également les bâtons porte-lanternes qui sont de minces lanières d'Ingres noir. Elles se fixent par une petite goutte de colle à chaque extrémité (2).

Si, dans notre panneau, les personnages sont sagement alignés, il faut veiller au contraire à un collage peu régulier des lanternes et à l'orientation variée des bâtons, ce qui donne de la gaîté à l'ensemble.

positifs — NĒGATIFS ET REFLETS

LE « POSITIF-NEGATIF »

Sous ce nom, nous avons groupé les découpages les plus divers, d'une grande richesse de découvertes, dont la caractéristique commune est d'utiliser à la fois la partie découpage (donc positif) et le fond d'où apparaît en « évidé » ce découpage (soit le négatif).

Le positif sera obtenu par découpage simple d'un pliage en 2, en 4, 6, etc.

Les symétries et les oppositions des masses et des couleurs permettent des effets décoratifs et rythmiques très forts. De telles recherches sont absolument passionnantes.

QUELQUES CONSEILS

- Le découpage doit toujours être obtenu d'un seul coup de ciseaux net. Il n'y a pas de déchets.

- Le trait du découpage doit être continu autour d'un centre, c'est-à-dire partir d'un côté « plié » pour aboutir à un autre côté également « plié » sans jamais entamer les bords. On n'obtient donc que des formes entières (A).

Toutefois dans certains cas il peut être amusant de recouper (toujours d'un seul coup de ciseaux) le centre plié du positif, la partie ainsi enlevée étant lors de la présentation du travail collée au centre du négatif. Ce découpage supplémentaire accentue l'effet de rythme et d'équilibre (B).

- Ne pas laisser des attaches trop fragiles, ni dans le positif, ni dans le négatif.

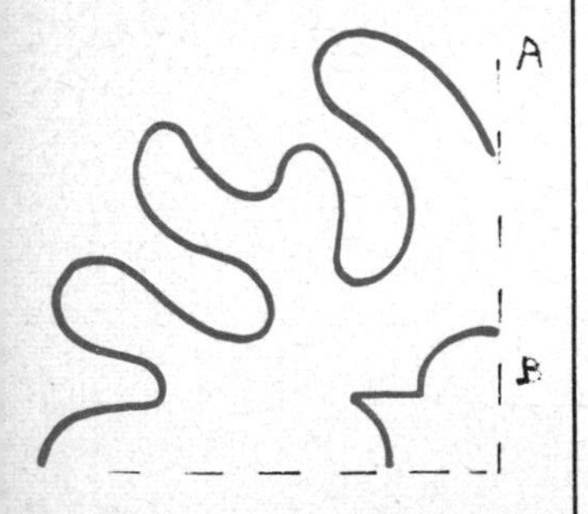

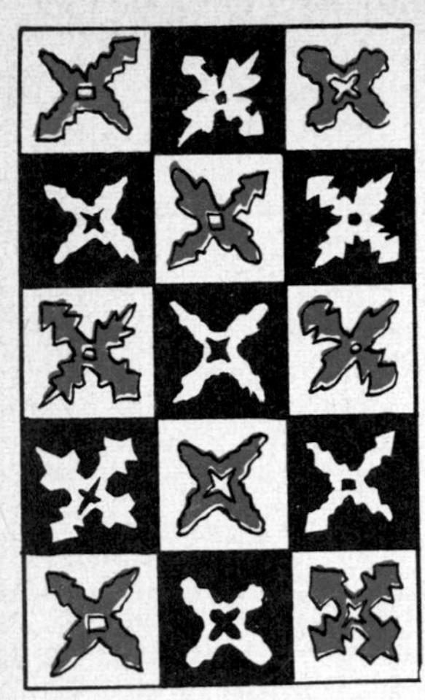

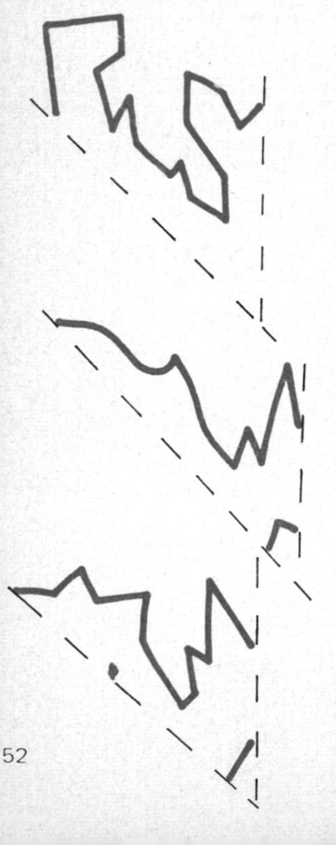

Il sera bon de s'exercer quelque peu avant de se lancer. Les réalisations sont toujours intéressantes, d'une très grande rapidité d'exécution — en particulier, on couvre de grandes surfaces à une vitesse incroyable.

L'application la plus facile de cette technique va nous amener au panneau suivant:

Panneau des cristaux de neige

Voir photo page 39.

Ce panneau est obtenu en un temps record. Il est d'un bel effet, très décoratif. Il ne demande qu'un peu de patience au collage.

MATERIEL

- Papier miroir vert-bleu pour le fond. Le renforcer si l'on veut par collage au stick sur carton (pas de colle cellulosique).
- Papier machine blanc, découpé en carrés de 10 cm de côté.
- Papier de couleur en harmonie avec le fond, découpé également en carrés de 10 cm de côté.
- Colle cellulosique en petit tube, ou stick, ou colle liquide.

REALISATION

- Plier les carrés de papier blanc en 8. Les découper selon sa fantaisie. Découper également une petite forme étoilée au centre.
- Ici, pour plus de fantaisie, les négatifs sont collés préalablement sur des carrés de couleurs très variées. Ne pas oublier les petites formes au centre.

Disposer, comme le montre la photo, d'abord les négatifs en quinconce, puis les positifs dans les carrés libres.

Les positifs n'accompagnent pas obligatoirement leur négatif. Au contraire, équilibrer la composition en plaçant les formes déliées près des formes plus lourdes, celles arrondies près des pointues, etc.

- Coller en place.

Un seul motif

Voir photo page 39.

En procédant à plusieurs découpages successifs exécutés suivant le même principe on obtient un résultat très différent et très agréable.

MATERIEL

- Un échantillon de papier peint à jeu de fond. Il faut une impression dont les détails se perdent, dont l'oeil ne puisse saisir les dessins.
- Un fond d'une dimension double de celle de l'échantillon, de la couleur dominante du papier peint.
- Colle cellulosique.

REALISATION

- Plier le papier peint en 2.
- Découper le motif en 3 étapes, comme le montre le croquis 1.
- Commencer par coller le tour du grand négatif.
- Après collage, repérer la hauteur du point A par rapport au bord (2).
- Mesurer le centre en largeur du fond positif, tracer un petit trait léger, puis un autre trait à la hauteur du point A. Cela permet de coller le positif parfaitement en place.
- Repérer de même le point B sur le négatif, coller l'autre morceau en place, etc. (3).

Le résultat est très heureux.

Un décor de ce genre conviendrait particulièrement pour une liseuse, ou même simplement pour décorer un papier couvrant un livre.

Bien entendu, on peut aussi coller un motif uni sur fond de papier peint, agrandir ce travail, etc.

Réalisé en grandes dimensions (et peut-être alors en plastique adhésif) un panneau de ce genre décorera très facilement un paravent, les 2 panneaux d'une porte, etc.

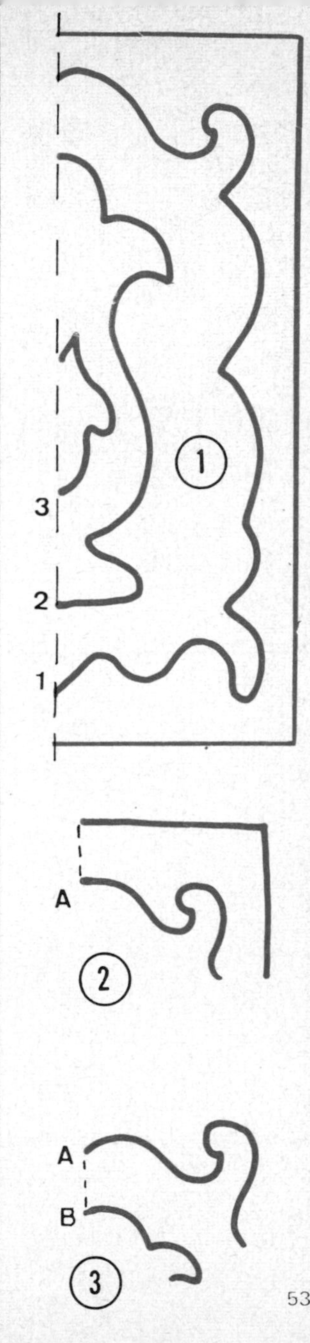

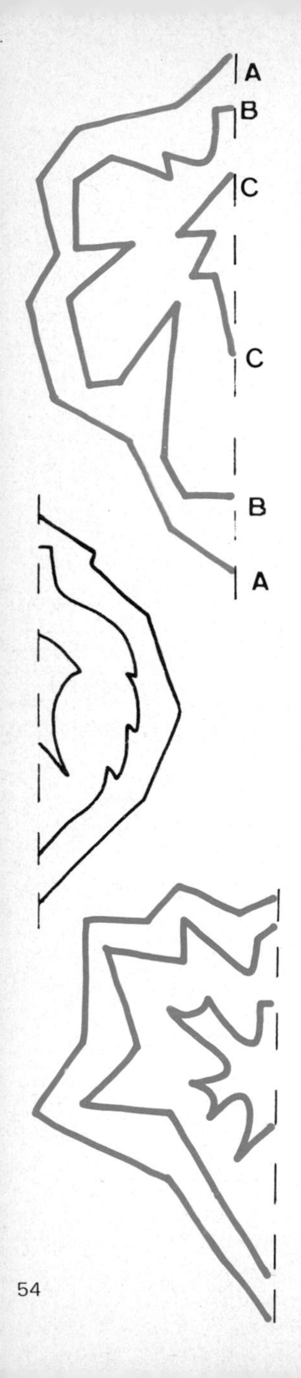

Panneau: les feuilles

Voir photo page 48.

Les découpages en positif-négatif ne se font pas obligatoirement à partir de formes géométriques. Nous en donnons ici un exemple.

MATERIEL

- Du papier jaune doux pour le fond, un carton pour le renforcer.
- Des papiers dans les tons de l'automne (jaune or, rouge, brun), sans oublier une feuille verte.
- Quelques feuilles en papier fluorescent « réveillent » et animent l'ensemble.
- Colle cellulosique en petit tube.

REALISATION

- Commencer par découper la forme générale des feuilles dans le papier plié en 2 (forme A). Contrairement à ce qui a été fait précédemment ce premier négatif ne sera pas utilisé.

Les feuilles découpées le seront avec la plus grande liberté. Si nous donnons ici quelques exemples, on doit surtout s'inspirer des véritables feuilles, la nature étant en ce domaine assez riche pour nous fournir tous les modèles possibles.

- Redécouper des feuilles (B) à l'intérieur des premiers positifs (A). Les traits de ciseaux ne doivent pas suivre fidèlement la forme, au contraire, afin d'obtenir une nouvelle feuille.
- Les découpages et nervures du centre (C) sont indispensables pour éviter les « creux » dans les négatifs.
- Disposer tous les découpages obtenus sur le papier de fond.

La plus grande liberté doit régner dans la composition. Il faut chercher seulement à équilibrer les formes pleines et évidées, et à bien harmoniser les couleurs. Replacer les nervures centrales des feuilles, pour éviter les creux.

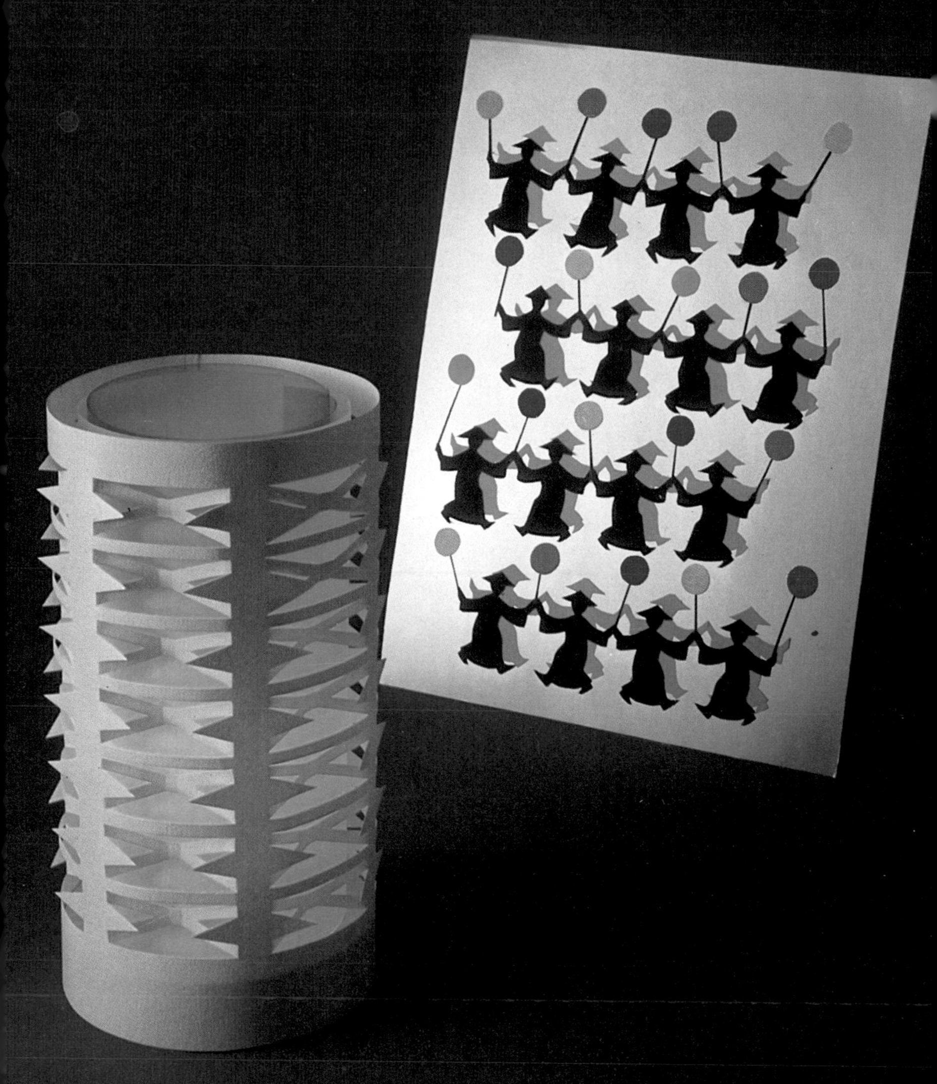

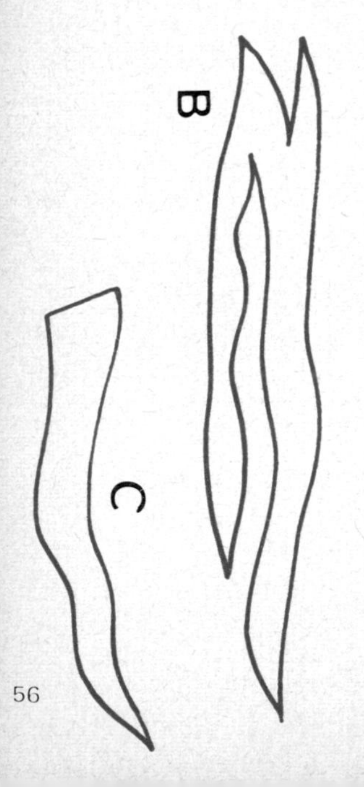

- Le collage est un peu délicat, car il est très ennuyeux de déplacer les feuilles lorsque l'on a trouvé la place qui convient à chacune.

Il suffit de coller par un point seulement (x) les feuilles du dessus (1 et 2). Après séchage coller celle du dessous (3) et enfin terminer le collage des 2 autres.

Sur le même principe, mais à partir d'autres formes de base (fleurs, poissons, etc.) on pourra effectuer des recherches fort intéressantes.

Le château de jour et de nuit

Voir photo page 61.

Il s'agit toujours d'un découpage positif-négatif, mais en jouant cette fois avec le découpage d'une forme non régulière et avec l'adjonction d'éléments de couleurs. Cet exemple ouvre la voie à d'autres réalisations.

Ici nous trouvons une petite difficulté: celle de découper le château d'une seule pièce. Mais, si l'on se trompe, le Scotch, collé sur l'envers, répare facilement le dégât causé par un coup de ciseaux maladroit.

MATERIEL

- Un rectangle de papier bleu foncé.
- Un rectangle de dimension double en largeur du précédent, couleur ivoire de préférence.
- Un peu de papier vert vif, bleu ciel, brun, jaune, mauve.
- Colle cellulosique ou stick.

REALISATION

- Dessiner sur calque (ou directement sur le papier) un château ou tout autre maison (phare, clocher, etc.).
- Redessiner sur l'envers du calque les principaux traits au crayon blanc, et décalquer sur le papier bleu foncé.

A
A
couper
détail

- Le trait de ciseaux devant être continu, pour commencer le découpage fendre en A comme le montre le croquis (une fois le collage effectué sur le fond, cette fente est invisible).
- Découper la silhouette du château, les « traits » marquant l'horizon, la fente du rocher.
- Avec le Cutter, évider quelques fenêtres.
- Découper l'arbre avec fantaisie.
- Encoller le dos du négatif en papier bleu et le mettre bien en place sur le fond.
- Coller le château « positif » en face.
- Coller l'arbre en vis-à-vis.
- Coller les fenêtres.
- Il ne reste plus qu'à accentuer l'impression « jour » et « nuit » en ajoutant des éléments de couleurs:

Pour la nuit, des couleurs froides, calmes: une lune blanche, et l'amusante chouette sur une branche.

Pour le jour: un peu de verdure gaie, un nuage et des oiseaux.

Les formes B et C sont les mêmes jour et nuit, mais de couleur différente.

Autres idées

On peut ainsi réaliser:

- la maison d'hiver et d'été (fond blanc de neige, négatif sur papier gai, lumineux, un orange par exemple);
- un personnage gai et triste (clown);
- la maison du Midi et du Nord (ou le paysage);
- l'arbre des quatre-saisons, particulièrement passionnant dans le cas d'un travail collectif. Les croquis ci-contre donnent une idée de ce que peut être cette réalisation: négatifs alternés, fond entier du panneau dans les gris doux. Bien entendu, les éléments ajoutés (feuilles, oiseaux, flocons de neige) sont adaptés à chaque saison.

JEUX DE POSITIF-NEGATIF

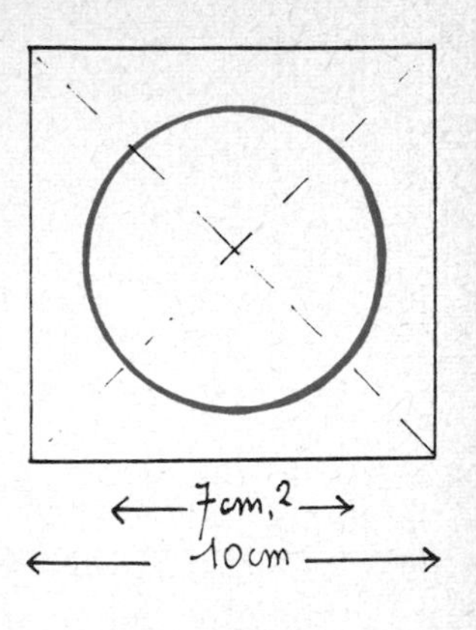

L'art moderne nous a familiarisés avec des recherches à partir de formes simples, de couleurs unies, et qui donnent cependant de surprenants résultats. Les exemples proposés ici ouvrent la voie à d'étonnantes découvertes de couleurs et de contrastes.

Ces panneaux étant avant tout des recherches, on peut être tenté, au bout d'un certain temps, de changer de place les divers éléments, les effets étant tout à fait différents si l'on procède au déplacement d'une ou plusieurs pièces. Il faudra donc utiliser la colle Rubber Cement, qui permet de décoller les papiers et s'enlève par simple frottement.

Les carrés et les ronds

Le jeu le plus simple, avec les éléments les plus simples, mais dont les résultats sont plus poussés qu'on ne suppose.

LES RONDS DANS LES CARRES

Voir photo page 31.

- Découper dans du papier de couleur des carrés (ici, 10 cm de côté).
- Repérer le centre en traçant les diagonales et, à partir de ce centre, tracer au compas un cercle de 36 mm de rayon.
- Découper le rond au Cutter (ce qui ne présente aucune difficulté: faire glisser le papier tandis que la lame du Cutter — toujours très aiguisée — coupe).
- Découper ainsi 2 carrés orange et 2 verts.
- Disposer sur le fond noir, en utilisant ou non la totalité des découpages.

LES CARRES DANS LES RONDS

Voir photo page 31.

C'est le contraire du jeu précédent:

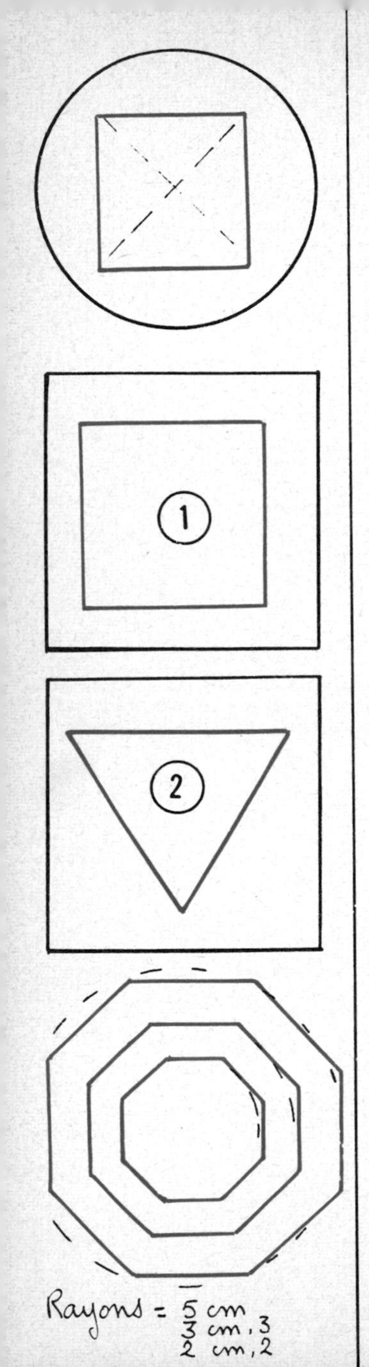

• Dessiner un carré (attention aux angles bien droits!).

• Déterminer son centre à l'aide des diagonales et, à partir de ce centre, tracer un cercle de 10 cm de diamètre.

D'autres formes

Pour le panneau photographié page 61, nous avons utilisé le découpage d'un carré dans un autre carré (aucune difficulté, voir croquis 1) et d'un triangle équilatéral dans un carré (2).

Ici les carrés de base ont 10 cm de côté, les carrés internes 6 cm et les triangles 7,5 cm de côté.

Pour bien centrer les triangles dans les carrés de base procéder ainsi:

• Dessiner le carré. Repérer son centre, au croisement des diagonales.

• A l'aide d'un calque, tracer le triangle. Le poser sur le carré en retournant le calque, en centrant bien.

• Découper comme les autres formes au Cutter, en s'aidant de la règle métallique pour couper droit.

La disposition de ce panneau fort simple est très intéressante car par déplacement des différents éléments (négatifs seulement ou positifs et négatifs ensemble, sans parler des couleurs) on obtient des effets totalement différents.

Un petit carré négatif orange au centre (4 cm de côté) et 4 carrés semblables à son positi (2 cm) animent le panneau.

Pourquoi pas des octogones?

... ou des hexagones? A essayer!

• Dessiner des octogones de plusieurs tailles. Les centrer et tracer à l'intérieur, comme le montre le croquis, des « tranches » plus ou moins larges.

• Disposer les découpages avec la plus gran de fantaisie, pour obtenir le meilleur résulta

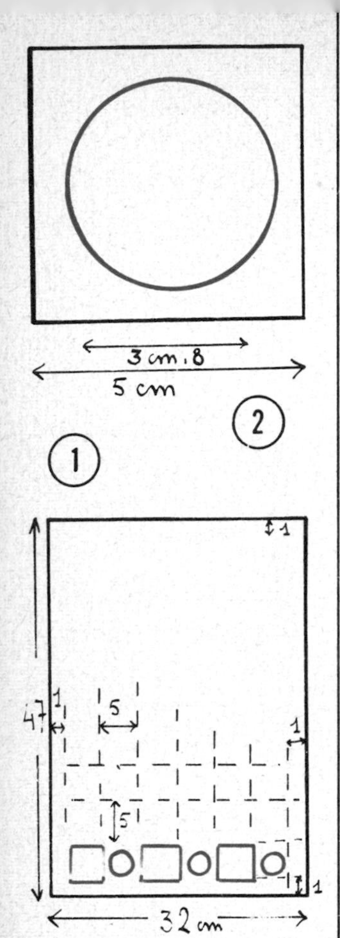

d'harmonie entre les formes et les couleurs (voir un exemple sur la photo page 61).

Cette fois, nous avons à disposer, en plus des couleurs, les multiples grandeurs d'une seule et même forme.

Le panneau arlequin

Voir photo page 43.

Voici une excellente utilisation des chutes de papier, car plus on dispose de couleurs plus gai est le panneau!

Cette recherche de contrastes et d'harmonies de couleurs ressemble à un puzzle, un véritable jeu de patience.

MATERIEL

- Le fond est un papier vert tilleul doux et neutre, sur lequel le jaune luminescent et les autres couleurs chantent particulièrement bien (papier Arjomari).
- Si nécessaire, renforcer le fond par un collage de carton dessous.
- Le plus possible de chutes de papier (ici 7 couleurs + un noir).
- Papier-calque, crayon gras, gomme douce.

REALISATION

- Commencer par découper le papier de fond, en lui donnant comme dimensions un multiple de 5, plus une marge de 1 à 2 cm tout autour. Ici, le panneau mesure 32 cm x 47 cm (1).
- Avec le crayon et la règle, quadriller à traits légers le fond en carrés de 5 cm de côté, afin de guider le collage.
- Sur le calque, reporter la figure du carré et du rond dedans (2).

Si vous avez de nombreux motifs, dessiner ce calque 2 ou 3 fois, car le crayon s'use et le calque ne marque plus après plusieurs décalques.

- Reporter le motif sur les chutes de papier. Evider le rond central au Cutter.

• Préparer un nombre largement suffisant de motifs, pour pouvoir bien choisir.

• Disposer les négatifs (carrés) sur le fond de façon plaisante, en songeant que ce ne sera pas définitif.

Il n'y a aucune règle, sinon d'éviter que 2 couleurs se touchent.

• Lorsque le choix paraît fixé, coller d'abord les négatifs en se guidant sur les lignes.

• Pour finir, gommer sur les bords les lignes de crayon inutiles.

LES REFLETS

Variante du positif-négatif, ces découpages permettent de nouvelles réalisations: on utilise l'un des deux (positif ou négatif) retourné comme le serait une image reflétée dans l'eau.

Cette technique, au demeurant fort simple, présente cependant quelques impératifs:

• le papier utilisé doit être obligatoirement double face;

• la découpe est faite d'un seul coup de ciseaux pour chaque motif;

• le sujet et son « eau » sont d'une même couleur (attention au choix de celle-ci!);

• le collage du reflet doit suivre l'image avec une grande fidélité, sinon l'effet n'existe pas.

• Dans certains cas, pour accentuer cette impression de reflet dans l'eau, la partie utilisée pour les reflets sera redécoupée et ses différents morceaux collés avec un léger décalage.

• Enfin, le reflet présente souvent des petits morceaux et des parties fines et pointues, qui demandent un collage parfait.

Le voilier

Voir photo page 60.

Les 2 exemples donnés montrent les variantes obtenues en découpant différemment la partie reflet.

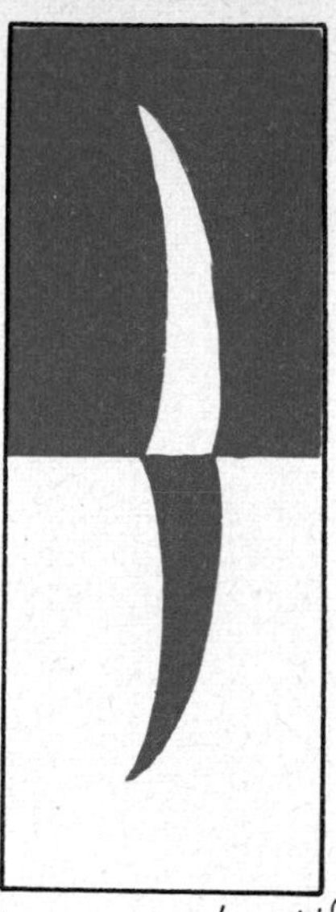

image = négatif
reflet = positif

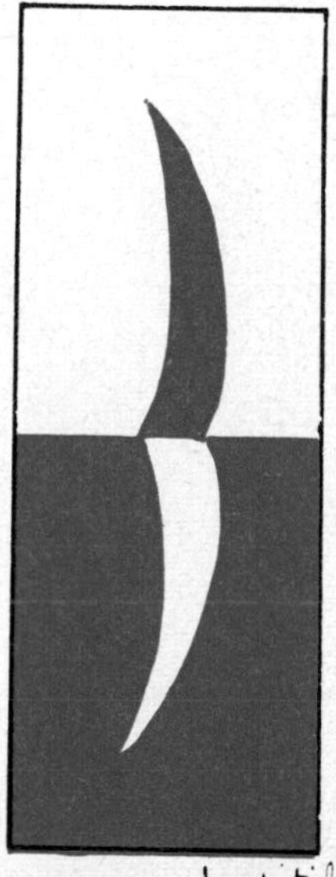

image = positif
reflet = négatif

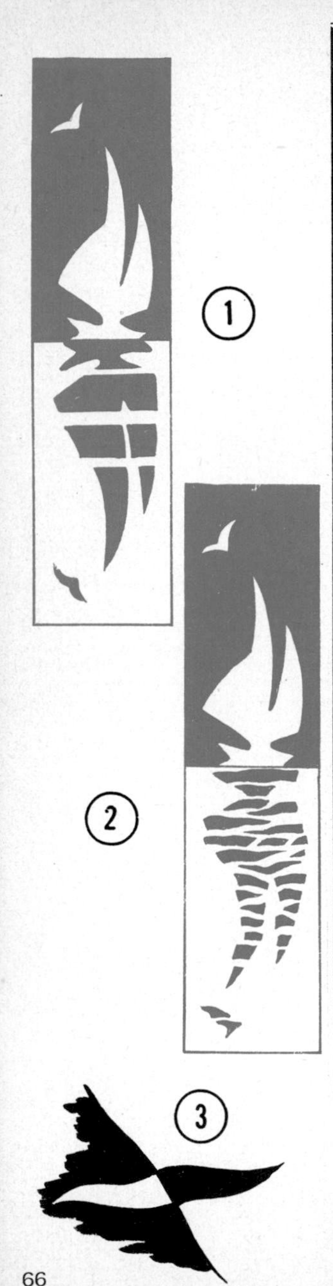

Ici, le négatif est utilisé comme image (donc le positif comme reflet).

Le négatif du voilier est collé sur un fond clair (on pourrait aussi avoir un voilier clair sur un ciel foncé ce qui donnerait un effet de clair de lune).

Le premier exemple présente une eau calme. Le reflet est seulement coupé par quelques rides d'eau (étang ou lac), c'est-à-dire que le reflet est découpé en 4 parties à l'aide de traits presque droits. Ces morceaux sont collés avec un léger décalage entre eux (1).

Le deuxième exemple, au contraire, présente une eau plus agitée: le reflet est découpé en plusieurs morceaux avec des traits plus ou moins sinueux (2).

Le cygne

Voir photo page 60.

Voici une autre manière de traiter le reflet.

Ici, l'image et son reflet sont posés sur des fonds différents, ce qui augmente l'effet de contraste.

Les rides d'eau sont découpées dans le reflet et recollées en les retournant (3).

Le cygne étant la majesté même, il y a peu de rides, mais un autre sujet pourrait en présenter davantage.

L'ibis

Voir photo page 60.

C'est le positif qui est utilisé comme image.

Tout se reflète, ibis et herbes du rivage. Le reflet est traité comme pour le voilier sur une eau calme.

Signalons que les dimensions de l'écart entre les différents morceaux modifient la profondeur de l'eau.

Le canard à l'envol

Encore un autre exemple. Ici, une des rides d'eau découpée dans le positif peut être utilisée comme nuage.

Le flamant rose

Voir photo page 60.

L'emploi de 2 couleurs pouvant devenir monotone, voici une autre possibilité.

Dans le reflet sont redécoupées des rides d'eau qui sont ensuite collées retournées.

L'adjonction d'herbes découpées dans des morceaux de papier de couleurs différentes animent l'ensemble.

Venise

Voir photo page 61.

Cette évocation romantique et volontairement conventionnelle ouvre la voie à d'autres recherches.

L'image est faite à partir de positifs de différentes couleurs. Celui de la maison est redécoupé au Cutter.

Les reflets sont traités simplement, mais la superposition des différents éléments accentue tout naturellement l'impression d'une eau calme.

- Découper le sujet principal (la gondole) dans du papier Ingres noir.
- Découper le palais du fond, qui est plus sombre, puis le grand palais plus clair (pour l'effet de profondeur). Attention, il est prudent de poser les fenêtres en ordre au fur et à mesure du découpage!
- Découper un petit morceau sombre pour former l'horizon.
- Découper le poteau pour attacher la gondole.
- Commencer par coller ensemble le positif des 2 palais.

Découper les reflets et les coller dessous. 'raiter les reflets par découpages simples, ›our ne pas atténuer l'effet de contraste.

Coller la gondole et son reflet, les 2 super- ›osés aux palais et à leur reflet.

Coller le petit morceau « horizon ».

Coller le poteau et son reflet.

:n conclusion, tout ce qui se reflète dans eau calme ou agitée peut être traité ainsi en nélangeant les différentes techniques:

Un phare, en superposant cette construction des rochers. Plusieurs tons de rochers peu- 'ent donner un effet de profondeur et d'éloi- nement, les plus près étant, bien entendu, es plus forts en couleur (comme dans la ature).

Un pont sur une rivière, c'est tout un pay- age! On peut même y adjoindre un pêcheur à a ligne.

Tous les types de bateaux, du transatlanti- ue à l'ancien 3 mâts...

Et même, Manhattan avec ses buildings normes et la statue de la Liberté!

:nfin, il n'y a pas que l'eau pour donner des eflets. Avez-vous pensé aux **miroirs**?

ans ce cas les reflets seront verticaux à la lace d'être horizontaux.

)u'est-ce qui peut se refléter dans un miroir? ien des choses... Cela peut aller du simple ase uniflore au bouquet champêtre, à la co- uette à sa toilette, et même à l'acteur vérifiant on costume de style.

ans ce cas, il faudra penser à la texture de partie miroir. Du papier métallisé conviendra arfaitement.

enser aussi à l'encadrement de ce miroir, à a disposition pour que l'effet de reflet soit 'ausible, au fond de l'objet qui se reflète...

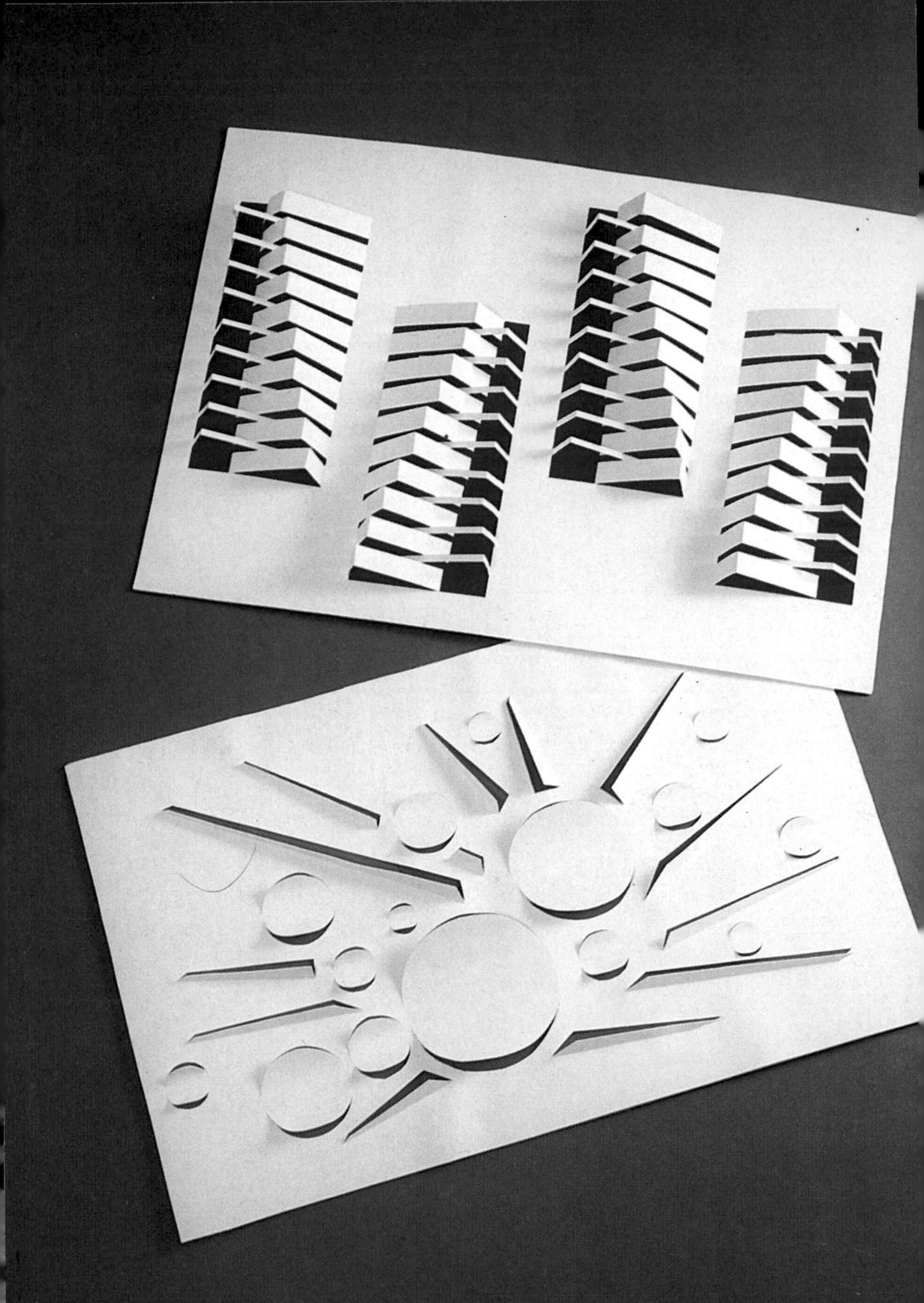

LA TAPISSERIE

Voici une belle utilisation de la riche gamme des papiers de couleur qui nous est actuellement offerte.

Comme dans les véritables tapisseries, des dégradés d'ombre et de lumière sont rendus par les jeux de tons voisins: c'est un excellent exercice pour l'oeil.

Ce sera l'occasion de tirer parti de toutes les chutes de papier, car il faudra beaucoup de nuances différentes pour l'agencement des couleurs. Quelquefois, une très petite touche de couleur, luminescente par exemple, suffit comme par magie à faire valoir la richesse ou la profondeur des tons voisins.

Pour arriver au chatoiement des couleurs, il est nécessaire de découper les formes et de les essayer en plusieurs tons, car il faut choisir en fonction d'un effet d'ensemble. Aussi ne vous pressez pas de coller définitivement les formes... peut-être faudra-t-il changer celle-ci en fonction de la couleur de celle-là que vous venez de placer.

La renaissance actuelle de la tapisserie nous a accoutumés aux dessins recherchés, aux couleurs hardiment contrastées, même dans les plus sages des ouvrages de dames. Aussi, nous ne suivrons pas à la lettre les modèles proposés; l'essentiel est de réaliser un décor harmonieux, gai et lumineux, en faisant jouer au maximum les contrastes, les jeux de nuances d'une même couleur, pour obtenir ce chatoiement si plaisant à l'oeil.

Signalons que la technique de la tapisserie en papier découpé vous permettra de créer votre propre modèle de tapisserie à broder, ce qui

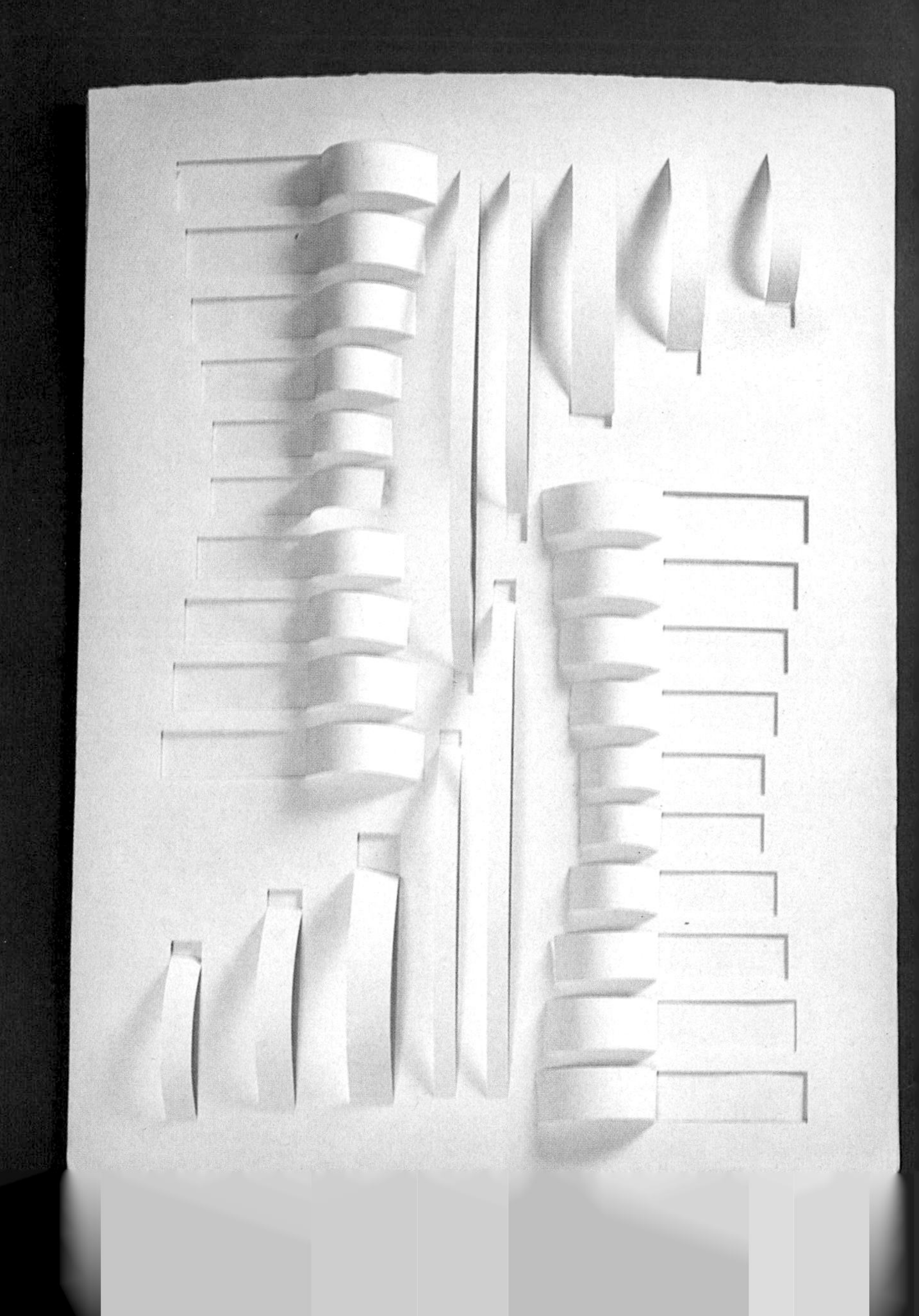

est fort utile dans le cas d'un choix de couleurs en harmonie avec une pièce, des meubles, etc.

• Composer la tapisserie en papier comme indiqué ci-dessous et la coller sur carton fort.

• Prendre des crayons-feutre se rapprochant le plus possible des tons des papiers.

• Pour ménager le travail du papier, le recouvrir d'une cellophane transparente, fixée derrière avec des pattes de Scotch.

• Tendre sur le dessin un morceau de canevas dépassant tout autour d'au moins 5 cm. Sur l'envers, fixer le canevas par de grands points allant d'un bord à l'autre.

• Relever le dessin de la tapisserie en la dessinant aux crayons-feutre. Bien soigner les bords des formes.

• Il ne reste plus qu'à assortir les laines, et... broder.

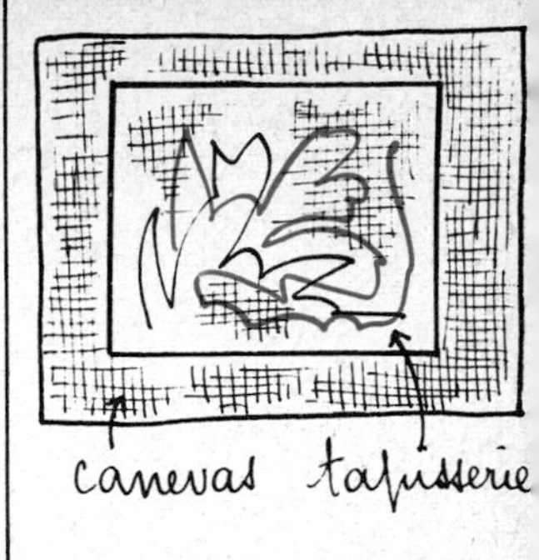

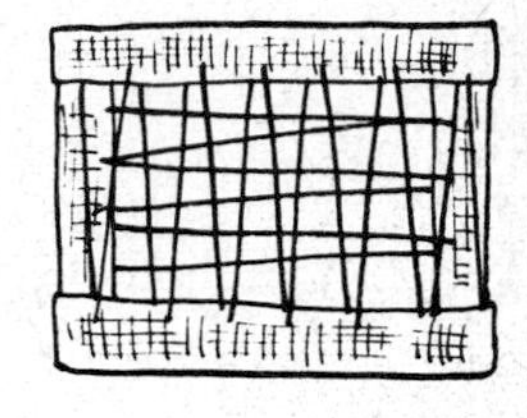

LA TECHNIQUE

Elle est simple, mais demande tout de même une certaine habileté. Une documentation sur les oeuvres actuelles sera très profitable.

• Grouper par couleurs les feuilles et les grandes chutes.

Poser les petites chutes à plat (dans un couvercle de boîte, par exemple) pour pouvoir choisir facilement le ton exact désiré.

Ne pas trier les différentes sortes de papier. Seul ici, le ton importe (et non la texture du matériau).

• Le fond des tapisseries est constitué par un carton fort, sur lequel est collé, au stick de préférence, un Canson ou papier à dessin. Si la tapisserie est de grandes dimensions, un Isorel ou un contre-plaqué est préférable.

• Le sujet est dessiné sur calque, à grands traits, pour avoir seulement une idée des principales taches.

• Prendre un second calque, le poser sur le premier, et relever (cette fois avec précision)

le dessin des différentes formes. Cela est important surtout pour les formes servant de base ou d'armature au sujet; les détails seront ajoutés une fois le collage des formes principales terminé.

- Décalquer les formes sur le papier choisi en retournant le calque sur l'envers du papier: cela permet de ne pas salir les tons fragiles, et surtout évite de redessiner la forme sur l'autre côté du calque.

- Le collage se fait avec un fil de colle cellulosique, en utilisant de préférence un petit tube dont la canule fine permet plus de précision.

- Composer séparément les éléments les plus importants de la composition: par exemple la queue, le corps de l'oiseau, les flammes, les bûches, la fumée du feu.

- Cette préparation générale terminée, commence alors le travail de recherche. Ces formes de base seront enrichies par des apports de découpages superposés permettant les dégradés, ou les contrastes de tons, comme dans les véritables tapisseries. Le choix dépend alors de l'effet recherché.

Ainsi dans l'exemple du feu (voir photo page 37) la forme générale d'une flamme découpée dans un jaune clair recevra des formes plus petites allant du jaune d'or au rouge le plus intense.

Dans d'autres cas (celui d'une feuille, par exemple), on passera du vert foncé au vert moyen, puis au vert clair, pour revenir au vert moyen et au foncé, pour donner une impression de mouvement et d'éclairage. Sur le tout peut être ensuite collé un découpage de nervures effectué dans une couleur tout à fait différente: noir, brun roux, ou même un vert d'une autre tonalité.

Cette recherche doit être très personnelle et dépendra du goût et de la patience de celui qui l'effectue.

Elle dépendra aussi évidemment de la richesse

des couleurs dont on disposera. Plus la gamme de celles-ci sera étendue, plus les recherches seront intéressantes.

C'est pourquoi nous avons déjà dit que seule importait la couleur du papier et non sa qualité.

• Bien entendu, au cours de ce travail, il faudra toujours tenir compte de l'ensemble et de temps en temps on aura intérêt à mettre en place — de façon provisoire — toutes les formes de base, afin de juger si une forme trop enrichie ne nuit pas à sa voisine.

• Lorsque l'ensemble est jugé satisfaisant, on procède au collage définitif mais attention, en général, les formes de base ne sont pas collées côte à côte: cela demanderait une précision trop grande, puisqu'on ne doit pas voir le fond entre les morceaux.

Il faudra donc coller les formes en les superposant comme le montre le croquis 1: découper selon le calque, mais laisser une patte à la partie qui sera recouverte (a). Seule la forme supérieure b, collée en dernier, sera conforme exactement au calque (2).

• Il peut arriver que le collage se fasse plus facilement dans un autre ordre: il suffit alors de coller au centre seulement la forme supérieure, et de glisser dessous la ou les autres formes, en cachant la patte a (3).

Le collage s'effectue ensuite complètement, en prenant bien soin de coller les pointes fines de certaines formes.

Les plumes

Voir photo page 63.

Nous proposons ici un jeu préparatoire à des réalisations plus poussées qui permettra à des enfants de comprendre le principe de l'enrichissement d'une forme de base.

• Découper cette forme dans du carton: elle servira de « calibre ». C'est-à-dire que, posé sur le papier choisi et contourné au crayon, ce « patron » donnera toujours la même forme de plume.

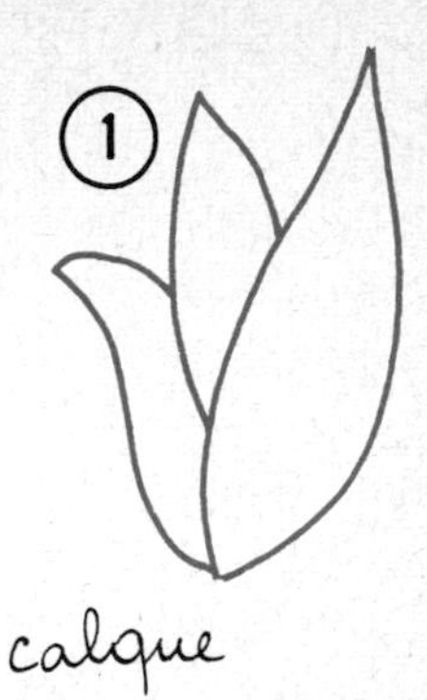

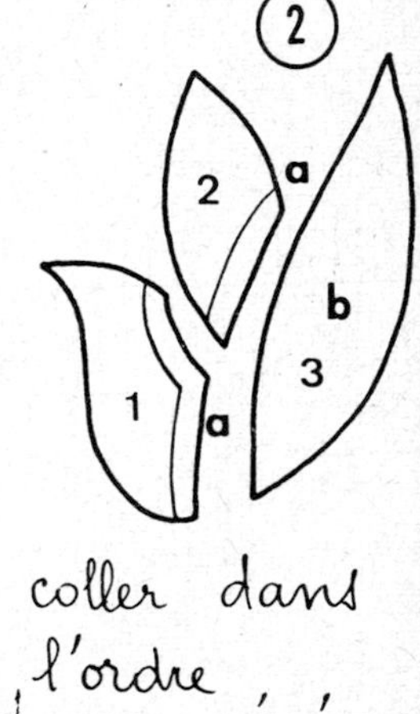

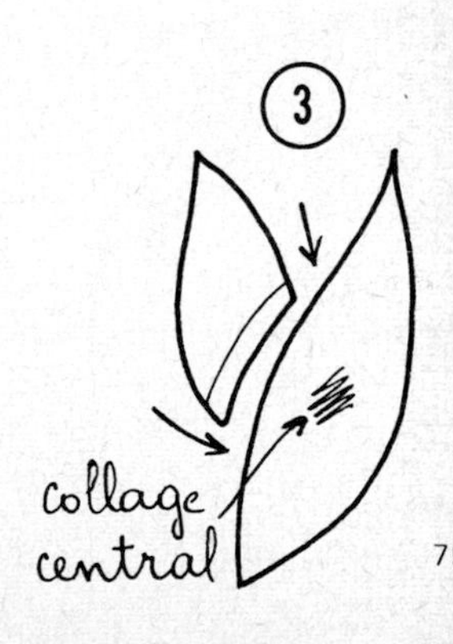

• Dans le cas d'un travail collectif, chaque enfant choisit une teinte de base pour sa plume, et l'orne à sa guise.

• Pour présenter les résultats choisir un fond neutre, ici un papier métallisé gris-bleu qui fait merveilleusement ressortir les couleurs.

• Disposer les plumes de façon plaisante, coller en place.

D'autres formes peuvent servir de base à ce panneau-exercice: feuille, oiseau, poisson, fleur, ou encore objet, vase, lampe, éventail, etc.

Le poisson

Voir photo page 37.

C'est une illustration de la technique du précédent panneau:

• Dessiner le poisson sur calque en s'inspirant du croquis page 14.

• Reporter les formes sur le papier choisi.

• Coller ces formes par superposition, c'est-à-dire que les premières à coller en place sont les nageoires, les dernières les pastilles orange du flanc.

Ce poisson fait un excellent décor pour une boîte d'allumettes géantes, ou pour tout autre objet à votre goût.

Le feu

Voir photo page 37.

Il est bon de ne pas chercher à reproduire fidèlement le panneau présenté ici; au contraire, chacun doit essayer d'évoquer le feu à sa façon. C'est donc à titre d'indication pratique que nous donnons le processus du travail de mise en place.

MATERIEL

• Canson noir pour le fond, carton fort.

• Papiers de couleur luminescents.

• Colle cellulosique et stick.
• Papier-calque, crayon gras.

REALISATION

• Commencer par coller le fond sur le carton.

• Décalquer les fumées dans plusieurs tons de gris. Les coller ensemble, puis sur le fond.

• Dessiner sur calque la forme du feu. Il comporte 3 éléments: les flammes, les bûches, les cendres.

• Dessiner les flammes avec élan, les croiser. De ces croisements naissent d'autres formes, qui sont aussi des flammes, d'autres couleurs (1).

• Décalquer les formes des flammes. Les coller ensemble en superposant les papiers, comme expliqué plus haut.

• Coller le centre de l'ensemble « flammes » sur les fumées.

• Coller, en le glissant dessous, le papier bleu qui fait transition entre le noir du fond et les flammes, et fait ressortir les tons orange (2).

• Découper les bûches. Les décorer de façon à donner une impression de bois éclairé et de relief. Les coller ensemble, mêler la cendre grise.

• Coller le tout. Ajouter quelques braises et quelques flammes dans le ton rouge le plus « brûlant ».

• Dans le jaune le plus lumineux, découper et coller de petites « étincelles » qui animeront le fond et donneront de la gaîté à l'ensemble (3).

L'oiseau

Voir photo page 63.

Cet élégant oiseau permet l'utilisation d'une gamme variée de papiers, de tons et de formes. Toutefois, nous vous conseillons d'éviter un bariolage de toutes les couleurs, cela détruirait la forme générale... Limitez-vous à une

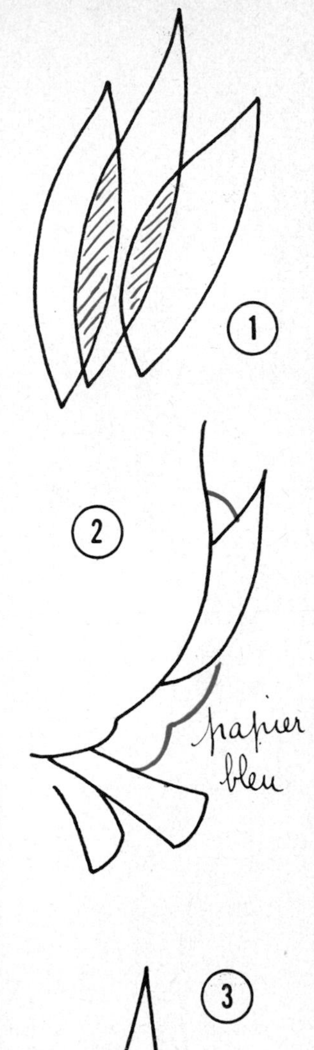

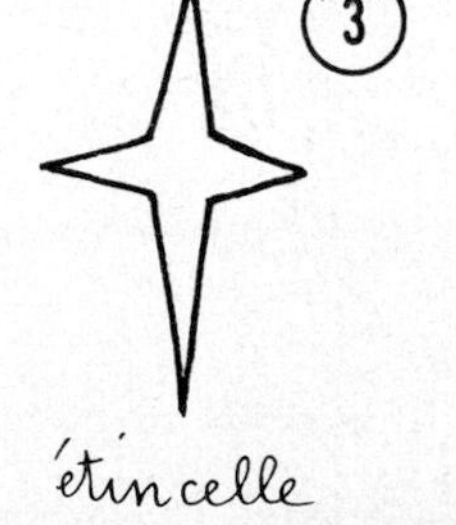

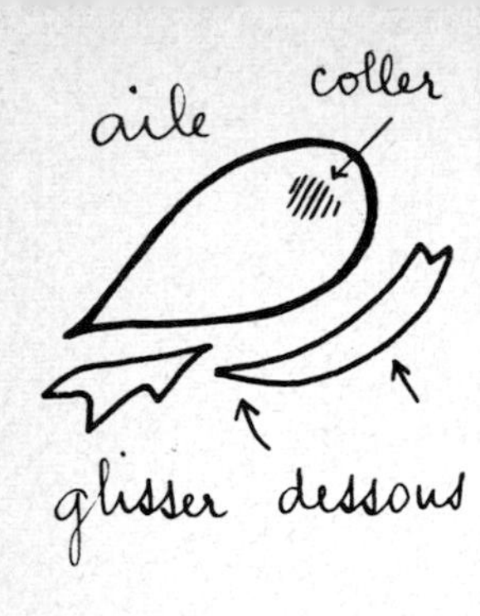

gamme de 2 ou 3 tons (ici, du jaune au rouge mis en valeur par vert et bleu sombre).

MATERIEL

- Carton fort, même surface de papier gris clair.
- Toutes les chutes de papier possibles, luminescent et autres.
- Colle stick et colle cellulosique, de préférence en petit tube.
- Papier-calque, crayon gras.

REALISATION

Ici, la réalisation est plus minutieuse que pour le panneau du « feu », qui était composé de formes relativement grandes. Si l'on veut obtenir un bel effet de plumes, il faut avoir des formes fines et surtout précises. D'où un bon dessin au départ.

- Dessiner l'oiseau sur calque à grands traits, pour avoir la forme générale.
- Poser dessus un second calque, et dessiner, cette fois avec précision, les différentes formes des plumes, du corps de l'oiseau, et des branches fleuries.
- Retourner le calque.
- Reporter d'abord la forme du corps et de l'aile sur les papiers choisis.
- Coller la partie supérieure de l'aile en place.
- Reporter de même les autres formes d'ornements. Terminer le corps.
- Reporter sur le papier de couleur les principales formes des plumes. Les orner une par une, puis les coller ensemble, en se guidant sur le calque. Attention aux superpositions.

Veiller, dans l'ornementation, à bien souligner le mouvement général de la forme, ce qui s'obtient surtout par le collage de papier noir.

- Coller le corps en place sur le fond.
- Coller la queue.
- Découper les branches et les coller. Coller

de même les fleurs et les feuilles.

Les oiseaux sont de merveilleux prétextes à tapisserie: qui ne connaît les coqs de Lurçat?

Mais vous pourrez essayer:

un poisson, avec de multiples nageoires,

une chouette, dans les gammes de brun, sur fond gai,

un faisan, un paon,

un animal irréel tel que dragon, etc...

Le soleil

Voir photo page 42.

Cet exemple s'apparente à la tapisserie par le jeu des couleurs, mais s'en différencie par la technique utilisée. Ici, en effet, pas d'enrichissement de forme mais un amusant travail de « tissage » dont les entrelacements animeront les formes géométriques qui composent ce panneau.

MATERIEL

- Un carré de carton de 39 cm de côté.
- Des papiers de 2 tons de bleu pour le fond.
- Des papiers orange rouge (2 tons), vert. Papier jaune luminescent.
- Compas, règle, Cutter, colle.

REALISATION

- Coller sur le carton, par moitié, les papiers bleu clair et foncé (1).
- Sur le papier orange dessiner un cercle de 12,5 cm de rayon.
- Marquer des repères, comme l'indique le croquis 2 (page 80), à 2 cm du centre, puis tous les 1,5 cm.
- Tracer des cercles concentriques.
- Tracer un trait selon le diamètre, comme sur le croquis. Marquer 2 points: A et B en haut, C et D en bas, à 7 mm de part et d'autre de ce trait.

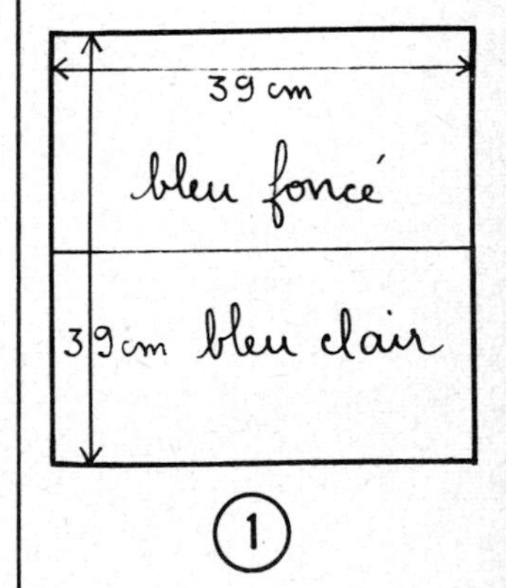

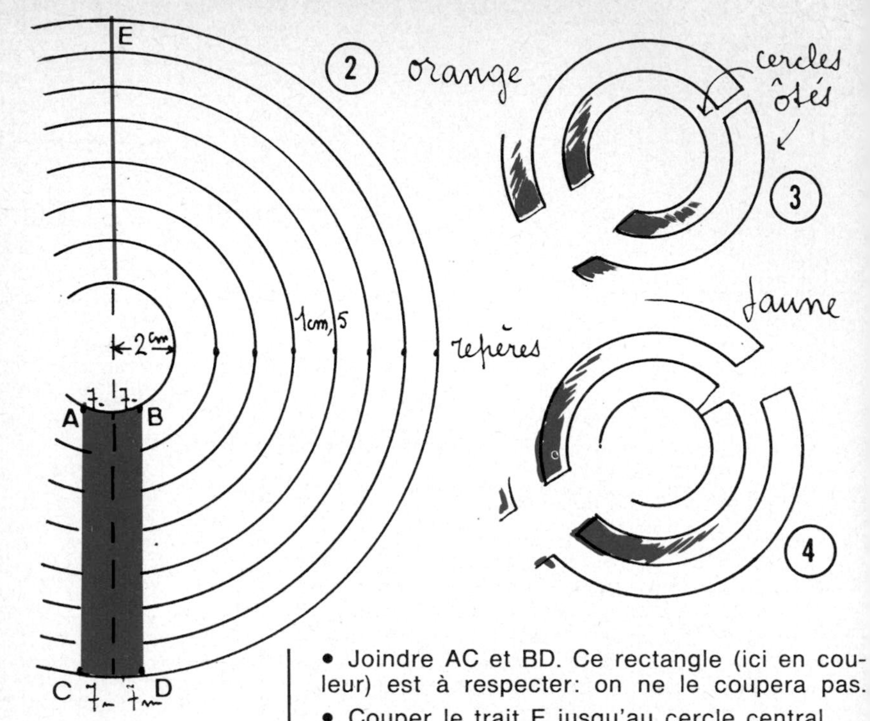

- Joindre AC et BD. Ce rectangle (ici en couleur) est à respecter: on ne le coupera pas.
- Couper le trait E jusqu'au cercle central.
- Découper les cercles sans entamer le rectangle ABCD (en couleur sur le croquis).
- Oter 1 cercle sur 2, en commençant par le premier après le rond central (3).
- Faire de même avec le papier jaune luminescent. Oter aussi 1 cercle sur 2, mais en commençant par le second après le rond central (4).
- Poser les 2 cercles l'un sur l'autre, orange sur jaune, en faisant coïncider les 2 rectangles ABCD, et par conséquent la fente E.
- Coller les ronds centraux des 2 cercles l'un sur l'autre.
- A l'aide des chutes de papier jaune provenant des cercles ôtés, couper des petites languettes F pour raccorder les cercles en les collant sur la fente E (5).
- Mesurer et coller le rond central bien exactement au centre du carré.

5

F

F

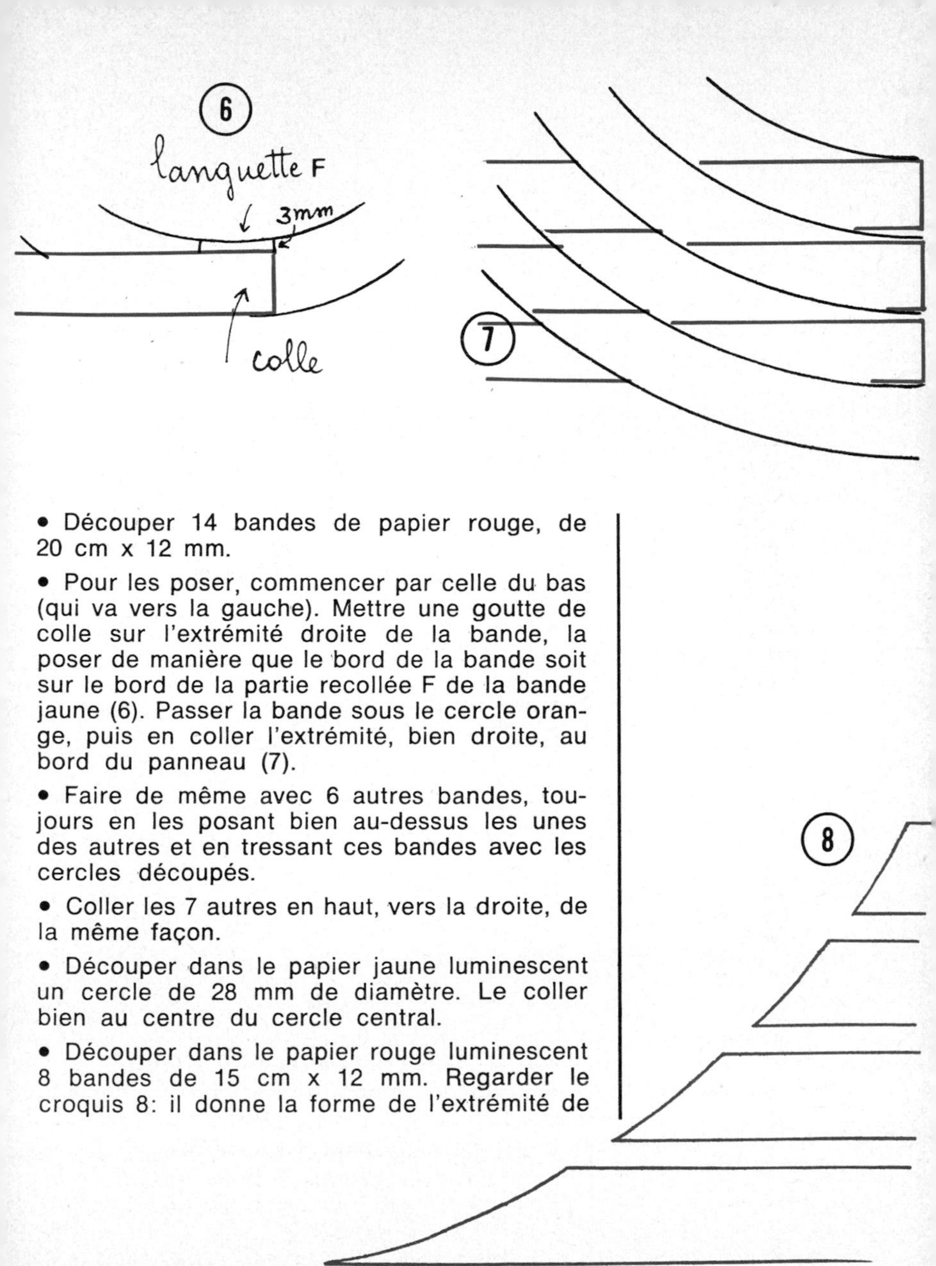

• Découper 14 bandes de papier rouge, de 20 cm x 12 mm.

• Pour les poser, commencer par celle du bas (qui va vers la gauche). Mettre une goutte de colle sur l'extrémité droite de la bande, la poser de manière que le bord de la bande soit sur le bord de la partie recollée F de la bande jaune (6). Passer la bande sous le cercle orange, puis en coller l'extrémité, bien droite, au bord du panneau (7).

• Faire de même avec 6 autres bandes, toujours en les posant bien au-dessus les unes des autres et en tressant ces bandes avec les cercles découpés.

• Coller les 7 autres en haut, vers la droite, de la même façon.

• Découper dans le papier jaune luminescent un cercle de 28 mm de diamètre. Le coller bien au centre du cercle central.

• Découper dans le papier rouge luminescent 8 bandes de 15 cm x 12 mm. Regarder le croquis 8: il donne la forme de l'extrémité de

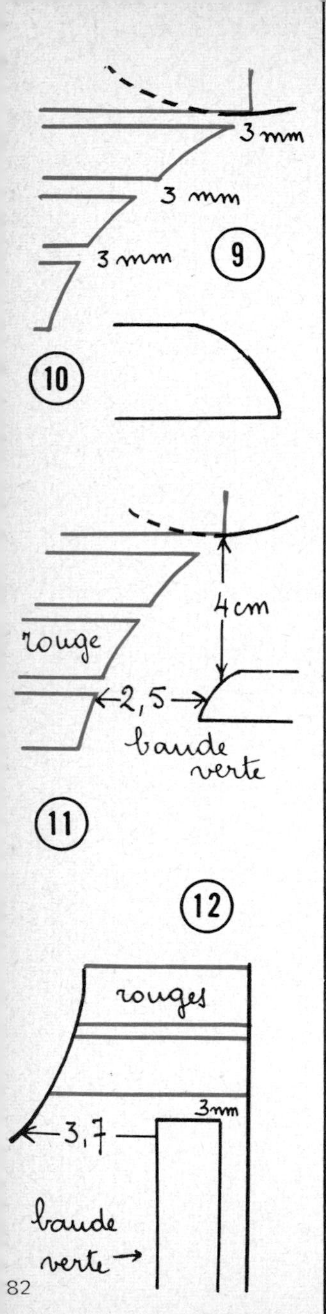

ces bandes, qui permet d'avoir une belle impression d'arrondi.

• Décalquer cette forme, et la reporter sur l'extrémité de 4 bandes, sur l'envers.

• Découper, coller les bandes en bas en les espaçant de 3 mm et en respectant la disposition du croquis 9.

• Couper ce qui dépasse au ras du bord du panneau.

• Faire de même en haut.

• Terminer le collage des bandes orange et jaunes des cercles du motif central.

• Découper dans le papier vert 2 bandes de 27,5 cm x 12 mm.

• A leur extrémité, décalquer l'arrondi du croquis 10.

• Découper cet arrondi.

• Coller la bande en place en bas comme le montre le croquis 11, à 4 cm du bord inférieur du motif central et à 2,5 cm des bandes rouge luminescent.

• Coller la seconde bande en haut.

• Découper dans le papier vert 2 autres bandes de 21,5 cm x 12 mm.

• En coller une à droite, à 3 mm de la bande rouge centrale et à 3,7 cm du bord droit du motif central. La mettre bien droite (12).

• Coller l'autre bande en haut, à gauche.

Ces 4 bandes vertes forment un encadrement.

• Enfin, découper dans le bleu luminescent 2 cercles de 4 cm de diamètre et les coller dans les angles, à l'endroit qui vous semblera le plus harmonieux.

Nous avons vu précédemment différentes possibilités que nous offrent les couleurs et les textures des papiers. Mais une autre richesse s'offre à nous: le relief.

Nous allons voir, dans ces quelques exemples, que, du plus simple au plus élaboré, il apporte un élément de décoration qui s'allie parfaitement bien avec l'environnement moderne actuel. Nous voyons d'ailleurs le relief fréquemment utilisé sans le secours de la couleur, ce qui est valable pour chacun des panneaux présentés ici.

Un éclairage bien étudié ajoutera un jeu d'ombres au travail du relief, il faudra donc faire des essais avant d'installer le panneau en place.

Les étoiles

Voir photo page 46.

Ce panneau est extrêmement simple à réaliser, et cependant, l'effet obtenu est très plaisant par le contraste des couleurs.

MATERIEL

• Un rectangle de carton fort (ici 32 cm x 50 cm).

Mais ces dimensions ne sont données qu'à titre d'indication, chacun restant libre de réaliser un panneau aussi grand que la surface du papier.

• La même surface de papier jaune et gris (Arjomari).

• Même surface de calque.

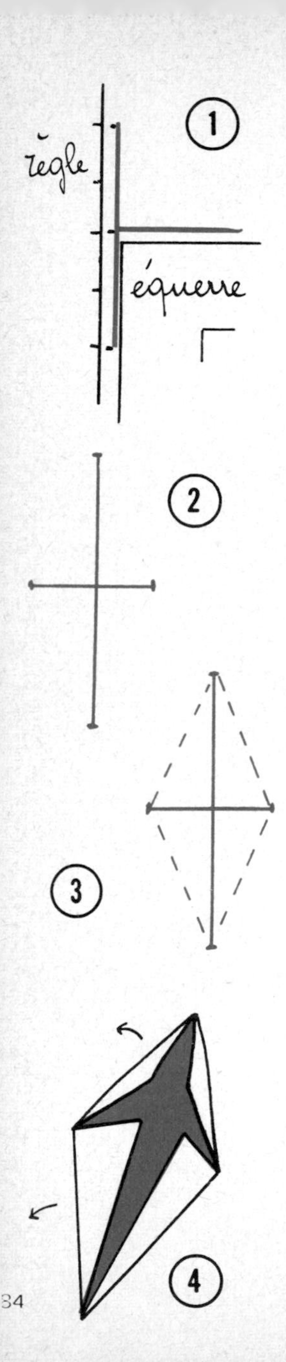

• Crayon gras, colle stick, Cutter et règle métallique, équerre.

REALISATION

• Coller le papier jaune sur le carton.

• Sur le calque, dessiner à traits larges l'emplacement qui paraît le plus heureux pour les étoiles. Elles doivent être variées comme grandeur et disposition; ici, elles donnent une impression d'envol.

• Retourner le calque et, en se guidant sur le premier tracé vu par transparence, mettre au net le tracé de chaque étoile. Pour cela procéder comme suit:

Tracer une ligne verticale de la longueur de l'étoile, indiquer un point au milieu. Sans bouger la règle, poser l'équerre le long de la règle et tracer une ligne partant de ce point (1).

Oter l'équerre, et terminer la ligne, de longueur égale, de l'autre côté du point central (2).

Toujours à titre d'indication, les étoiles de ce panneau (dans leur plus grande longueur) vont de 10 cm à 1 cm.

• Une fois toutes les étoiles tracées, retourner le calque et reporter les étoiles sur le papier gris.

• Avec le Cutter et la règle, couper ces lignes.

• Toujours avec le Cutter et la règle, mais en appuyant juste assez pour obtenir une ligne de pliage sans entamer le papier, joindre les points en losange (3).

• Il ne reste plus qu'à relever les 4 parties de chaque étoile en repassant bien à l'ongle pour obtenir le pliage (4).

• Coller le papier gris sur le jaune, en ne collant que le fond non travaillé, les étoiles étant libres.

VARIANTES

• Au lieu d'un losange découper un carré, un hexagone (en six pointes), un triangle.

• Essayer le découpage d'un rectangle, qui

peut donner un effet de fenêtre plus ou moins ouverte.

- Choisir d'autres papiers ou faire un travail blanc sur blanc, mais les effets de contraste sont ici plus intéressants.

Le panneau diamant

Voir photo page 67.

Nom fantaisiste, mais il rappelle des cabochons « à tête de diamant », et son aspect miroitant confirme cette impression.

C'est un panneau très décoratif, merveilleusement servi par le papier métallisé: le fond argent, neutre, fait ressortir les jolis tons vert, or et cuivre, et quelques pastilles luminescentes donnent vie à l'ensemble.

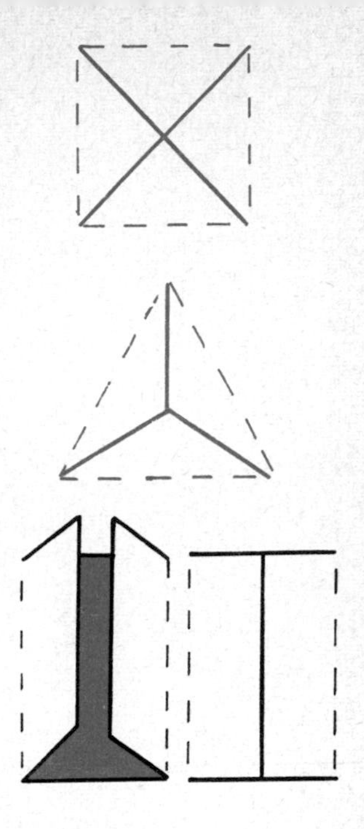

MATERIEL

- Carton fort (ici un rectangle de 37 cm x 50 cm).
- La même surface de papier métallisé argent.
- Papier métallisé or, vert, cuivre (il en faut très peu).
- Papier luminescent de plusieurs tons.
- Ciseaux, Cutter et règle métallique, crayon gras, compas.
- Colle en stick (colle blanche) et colle cellulosique en petit tube.

REALISATION

- Coller le papier de fond sur du carton à l'aide de la colle en stick.
- Dessiner les cabochons:

Travailler sur l'endroit du métal. Dessiner un hexagone: faire un cercle, reporter 6 fois le rayon sur la circonférence et joindre les 6 points au crayon gras (1).

- Joindre les 6 points au centre avec un trait

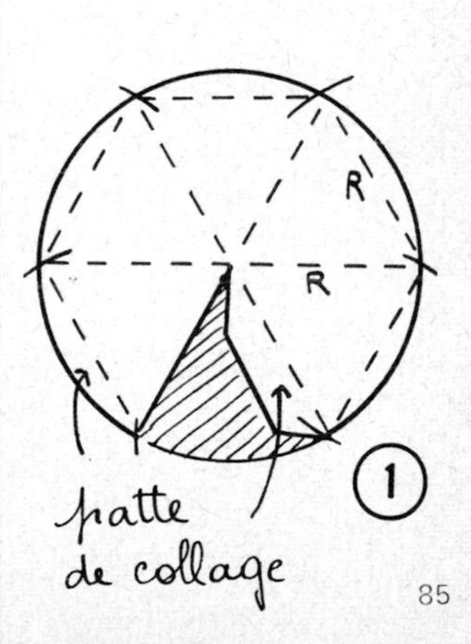

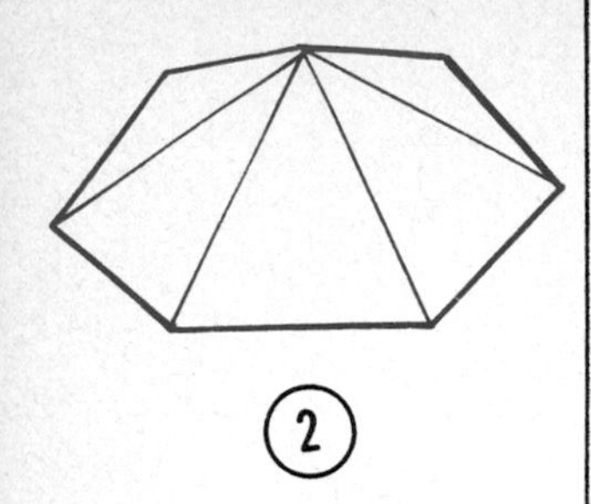

de Cutter assez appuyé pour obtenir un pliage net.

• Sur un des 6 pans, tracer une patte de pliage.

• Découper les ronds (l'espace compris entre le rond et le tracé de l'hexagone servira de patte de collage) et la partie indiquée en grisé sur le croquis.

• Plier et coller la patte qui ferme la petite pyramide hexagonale (2).

• Faire ainsi plusieurs cabochons de chaque couleur et de tailles différentes (ici le plus grand a 6 cm, le plus petit 17 mm).

• Découper des pastilles de 2 cm de diamètre dans le papier luminescent.

• Disposer le tout sur le fond selon votre fantaisie, pour réaliser un ensemble harmonieux et dissymétrique.

• Coller en place par un fil de colle cellulosique sur la base de chaque élément. Attention à poser nettement en place, car la colle (ou la moindre bavure) tache le papier métallisé.

Le panneau sculpté

Voir photo page 70.

Par un procédé très simple (soulèvement du papier et « frisage » de certaines parties) on obtient ici une impression très forte de relief. Cette impression sera augmentée par le collage sur un papier foncé (ici bleu nuit).

MATERIEL

- Carton pour renforcer le fond.
- Papier Arches blanc lavis 3.
- Papier à dessin bleu foncé.
- Calque, tous les 4 de même format.

REALISATION

• Composer le dessin à l'aide de cercles et de lignes. En mêlant ces 2 éléments, on peut avoir une foule de compositions décoratives.

:eux qui se sentiraient moins doués pour ce :enre de composition peuvent s'inspirer de ı photo.

Le reporter, à l'aide du calque, sur l'envers ɩu papier Arches.

Avec le Cutter, couper les lignes droites, et ɜpasser leurs lignes de pliage (croquis 1).

Découper, toujours au Cutter, les cercles, n ne laissant qu'une patte en haut et en bas: mm pour les petits cercles, environ 1 cm ɔour le plus grand (2).

Le découpage terminé, gommer à la gomme ɩouce.

Retourner, soulever les parties droites, et friser » les parties découpées des cercles (3). ;ette opération se fait en tenant le papier en- ɾe une lame de ciseaux et le pouce. Tirer ɩoucement sur la lame: le papier prend une ɔrme arrondie.

Coller le papier bleu sur le fond de carton, ˌvec le stick.

Retourner la feuille blanche, encoller les par- ɩes qui ne sont pas découpées à l'aide de la ·olle cellulosique, sans aplatir le relief.

La poser en place, s'assurer du bon collage.

ʼARIANTE

Au lieu de formes géométriques faire des echerches avec des formes concrètes: per- onnages, fruits (pax exemple une grappe de aisin), évocation d'un sol lunaire avec des ɔrmes plus ovalisées, etc.

.e pliage travaillé

ʼoir photo page 70.

;e nappeau est composé de 4 surfaces dé- :oupées, puis pliées et collées. Sa réalisation, ɾès simple, demande cependant du soin et ɩe la patience.

ɩous avons choisi le contraste entre un très ɜeau papier Arches, blanc, granité (qualité ɜvis) et un papier rouge chaleureux (Arjomari).

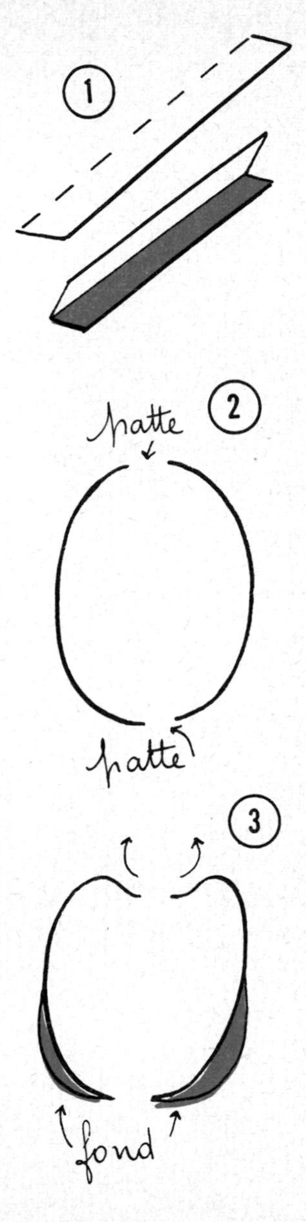

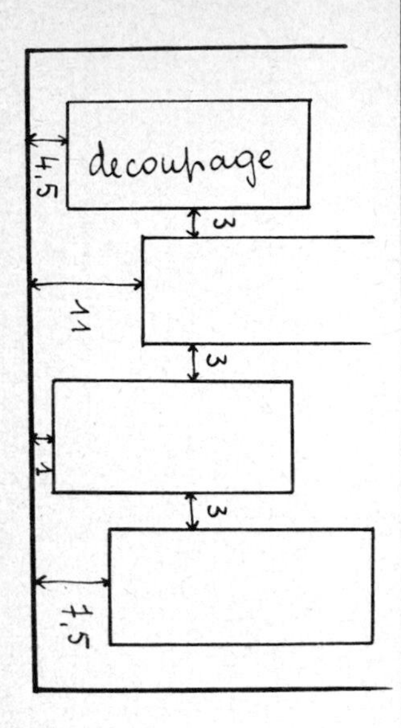

emplacement des découpages

①

MATERIEL

- Une feuille d'Arches lavis blanc, spéci M.B.M. 3.
- Une feuille de papier rouge.
- Un renfort de carton pour le fond du pa neau.
- Cutter et règle métallique, papier-calqu crayon gras, colle en stick.

REALISATION

Une remarque préalable: le travail de décalqu et de découpe se fait sur l'envers du papie le côté granité étant l'endroit.

- Etablir sur un calque à grandeur d'exéc tion le dessin général, ici 53 cm x 37,5 cr soit reporter aux emplacements indiqués (le contour des 4 découpages.
- Sur un autre morceau de calque, relever dessin (donné ci-contre à demi-grandeur) d'u des 4 éléments. Le redessiner sur l'envers.

Attention les traits de coupe sont indiqués e noir; les traits de pliage en couleur.

- Regardez bien le panneau: le pliage des ba des se fait une fois à droite, une fois à gauch pour obtenir un effet de rythme. Il faudra do décalquer l'élément décoratif en plaçant le ca que une fois à l'envers, une fois à l'endroit.
- Décalquer soigneusement, pour avoir un tr cé net des pliages et traits de coupe.
- Avec la règle métallique, couper les endroi prévus au Cutter. Attention aux attaches de petites bandes, ne pas entamer leur charnièr
- Marquer légèrement les lignes de plia au Cutter.
- Retourner le papier blanc. Le coller sur fond seulement par la partie non découpée.
- Former le pliage: retourner toutes les ba des larges (2), les plier (3), appuyer le pli ent les doigts. Retourner les petites bandes, l plier, appuyer également leur pli (4).

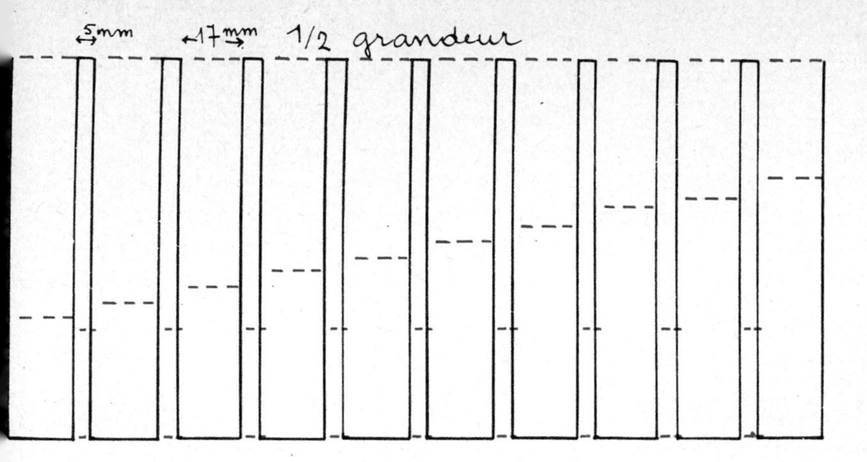

• Vous remarquerez sur la photo que le mouvement du pliage est accentué par le très léger décalage au collage des pattes, petites et larges: la première partie est collée à 1,7 cm du bord, la dernière à 3,2 cm.

• Pour coller, mettre un mince fil de colle sur le bord de la bande, la maintenir en place quelques instants (5).

• Coller de même toutes les bandes... avec patience.

Avant de suspendre le panneau, essayer des éclairages divers: les petites pattes, particulièrement, donnent des ombres inattendues.

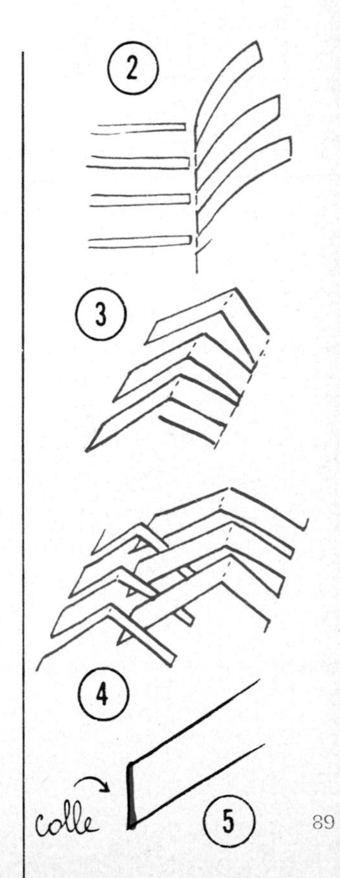

Panneau blanc sur blanc

Voir photo page 72.

Ce panneau est intéressant par la recherche d'effets décoratifs dûs à un relief augmenté par un léger soulèvement de la partie découpée. La réalisation en est assez facile.

MATERIEL

• 2 feuilles de papier Arches lavis 3.
• Carton fort de même format.
• Calque de même format.

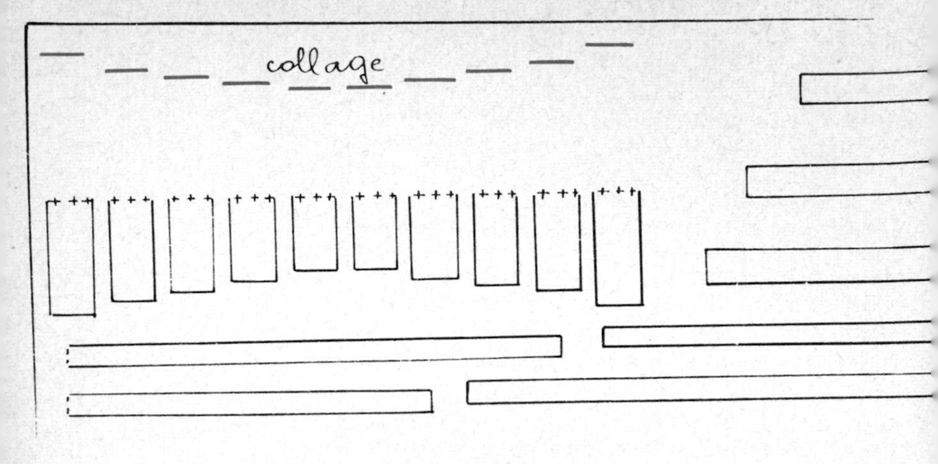

REALISATION

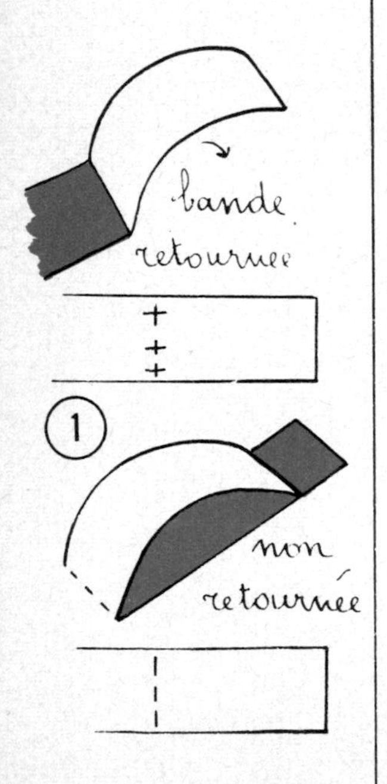

- En vous inspirant du dessin donné ci-dessus (où sont indiqués les tracés des découpes) et de la photo, dessinez un panneau symétrique ou non, harmonieux et équilibré.

Ici les bandes sont de largeurs variées; certaines sont retournées et courbées, d'autres courbées mais non retournées (1).

Observez que, dans les compositions en hauteur, la partie ajourée est plus large que la partie formée par les bandes recollées: les bandes sont plus longues que la partie qu'elles recouvrent, sinon, elles ne seraient pas courbes.

- Reporter le dessin sur l'envers d'une des 2 feuilles d'Arches.
- Couper au Cutter, repasser les lignes de pliage, toujours à la règle.
- Quand les découpages sont terminés, gommer doucement.
- Retourner la feuille. Avec le papier-calque, reporter les repères de collage des bandes retournées.
- Soulever les bandes ou les retourner. Les friser légèrement.

- Le collage est un peu délicat:

Si la bande est retournée, encoller le bord de la bande et le poser bien exactement sur le repère. Maintenir en place quelques instants (2).

Si la bande n'est pas retournée, encoller d'une petite goutte de colle ses deux bords extrêmes, comme le montre le croquis 3, les poser sur le bord de la partie évidée et maintenir en place un moment. Il faut parfois recommencer avant d'obtenir un résultat satisfaisant.

- Coller la seconde feuille de papier Arches sur le carton, à l'aide du stick.
- Découper des bandes de carton de 2 cm de large et les coller tout autour, en cadre (4). Coller ce carton à la colle cellulosique.
- Découper 4 autres bandes de 1,5 cm de large et, en vous repérant à l'aide du calque, les coller aux emplacements indiqués par le croquis 5.
- Encoller ces bandes à la colle cellulosique, et coller la feuille travaillée dessus, bien en place.

Il arrive parfois, au bout de quelque temps, que le carton « joue » et que la feuille supérieure ait tendance à se coller, au centre contre le fond. Dans ce cas, assurer au panneau une bonne verticalité, et glisser entre les 2 feuilles, au centre, un petit morceau de carton encollé, en prenant bien soin de ne rien tacher.

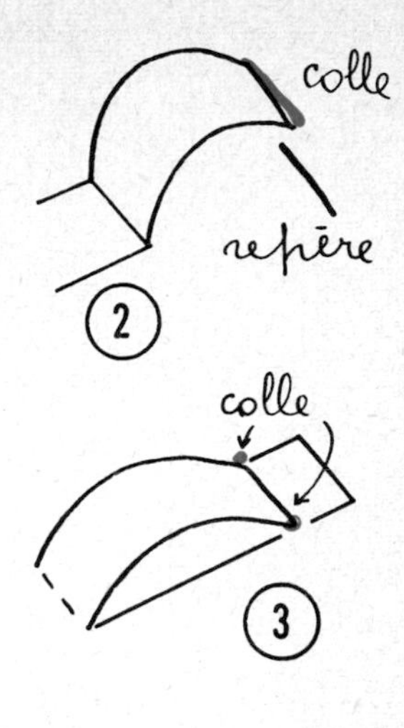

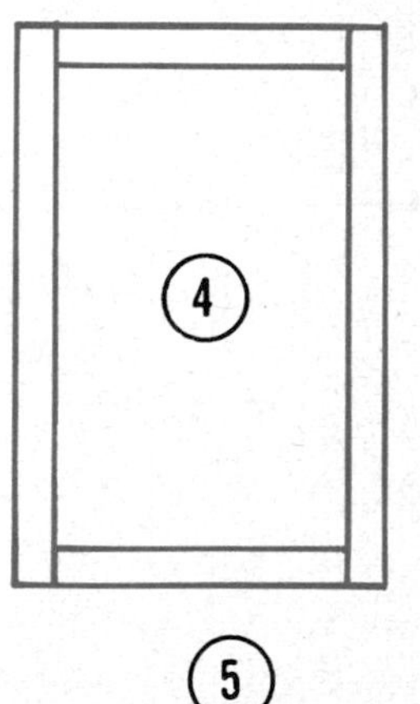

5

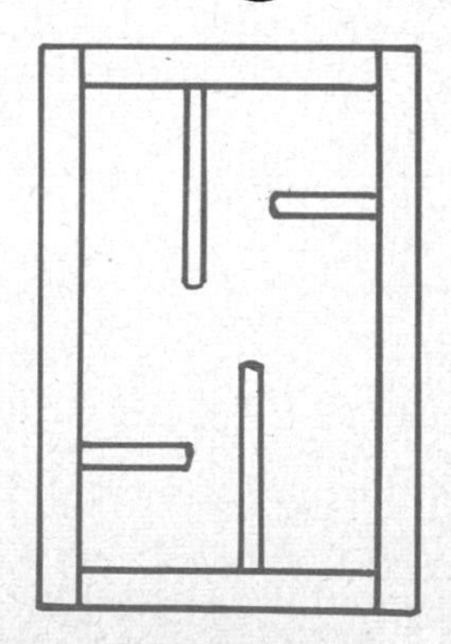

La lampe ajourée

Voir photo page 55.

Cette jolie lampe, très décorative éteinte, et d'une belle et douce lumière une fois allumée, est très facile à réaliser. Conçue pour un éclairage blanc, une astuce la transforme en lumière d'ambiance, de la couleur de votre choix.

MATERIEL

- Papier Arches lavis.
- Une feuille d'Opalux.

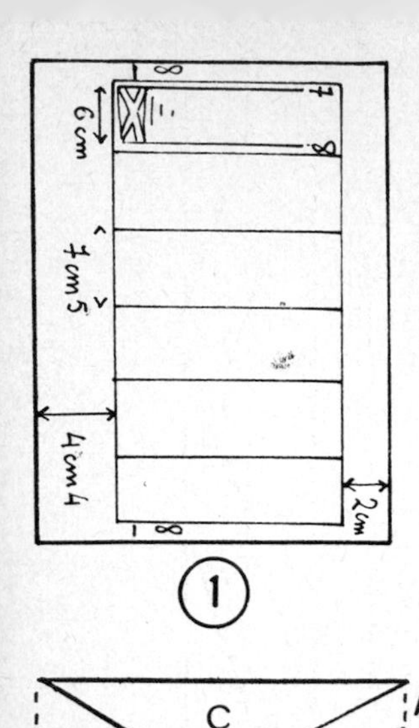

- Une feuille de Rhodialine de couleur (si elle est vendue au mètre, il en faut 30 cm x 40 cm).
- Du papier-calque, du carton mince et du carton fort, un peu de bristol blanc.
- Pour les fournitures électriques: une douille à double bague, un interrupteur, une prise mâle, une ampoule de 25 à 40 watts (selon la force de l'éclairage désiré).

REALISATION

- Prendre le papier Arches sur l'envers. Couper un rectangle de 27,5 cm x 46,5 cm.
- Regarder le croquis 1: compter 8 mm de chaque côté, placer un repère pour partager le rectangle en 6 parties de 7,5 cm (chaque partie recevra le dessin d'un découpage).
- Etablir sur calque le tracé d'une bande de découpes. Est donné page 93 le tracé exact de la moitié d'une de ces bandes.
- Le reporter (toujours sur l'envers du papier) sur le tracé général des bandes.
- Commencer à gauche et refaire la même opération 6 fois.
- Avec la règle, découper tous les traits au Cutter (2). Attention au pliage des petites lignes A et B. Evider les parties C. Les triangles D restent tels, sans pliage.
- Quand tous les découpages sont terminés, effacer doucement les traits de crayon.
- Retourner la feuille, et plier: les petites bandes E sont courbées doucement entre les

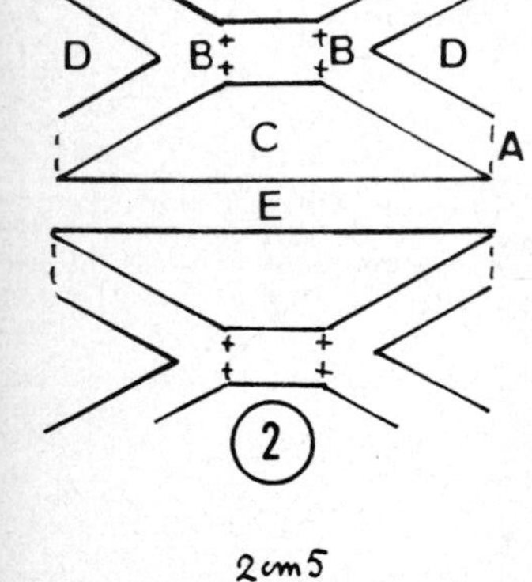

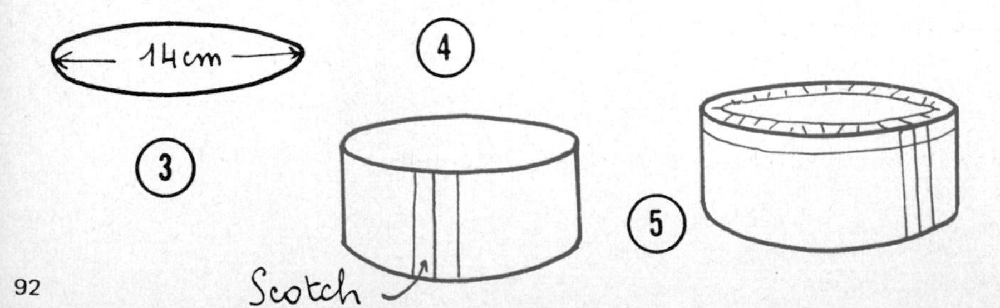

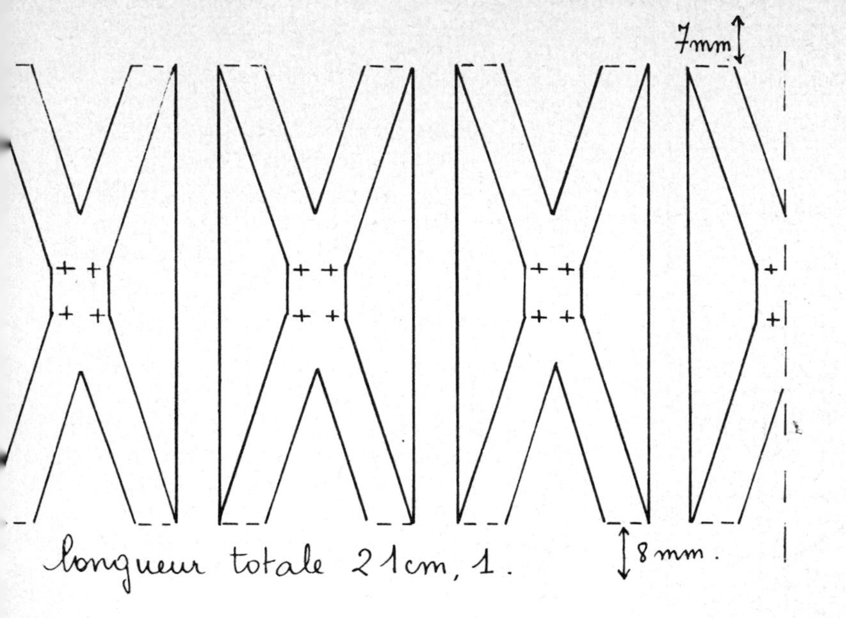

igts pour faciliter le pliage.

Préparer la partie éclairage. Découper dans carton fort 2 cercles de 14 cm de diamètre. ider au centre de l'un d'eux un rond de cm de diamètre (3).

Découper une bande de 44 cm x 3 cm dans carton mince.

Courber la bande, la raccorder avec du otch (4).

La coller avec du Scotch sur le cercle non dé. Bien coller (5).

Cacher le collage en découpant un cercle 14 cm de diamètre dans le bristol blanc, et le collant sur le cercle de carton (6).

Evider le trou du passage du fil près du racrd de la bande (7).

Prendre le rond de carton évidé, et monter douille comme indiqué page 35 pour la npe aux napperons.

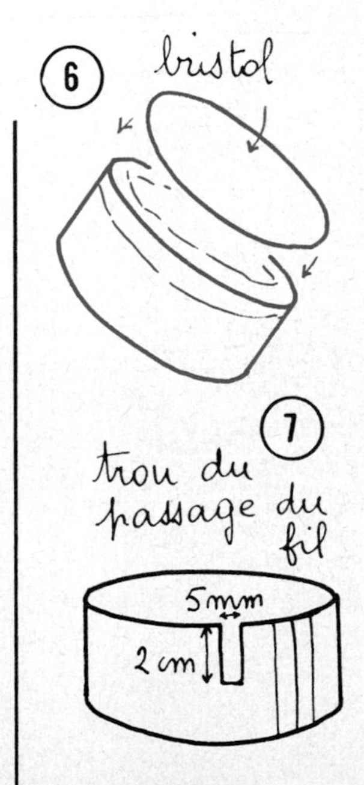

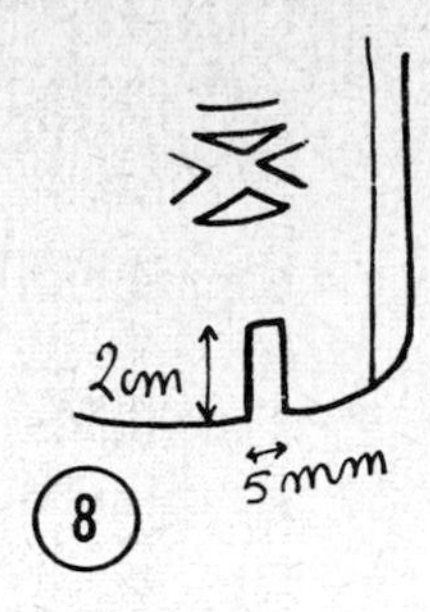

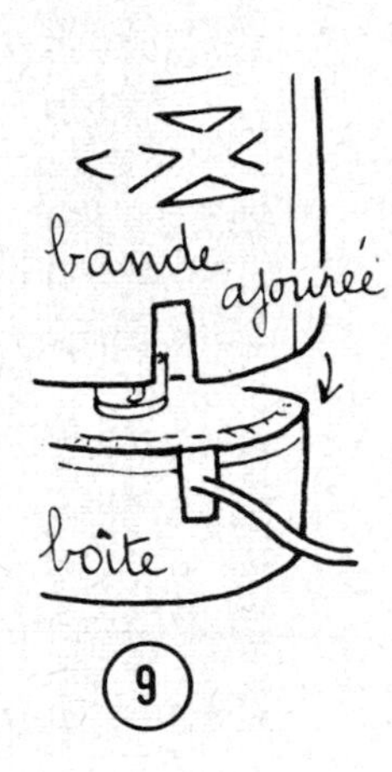

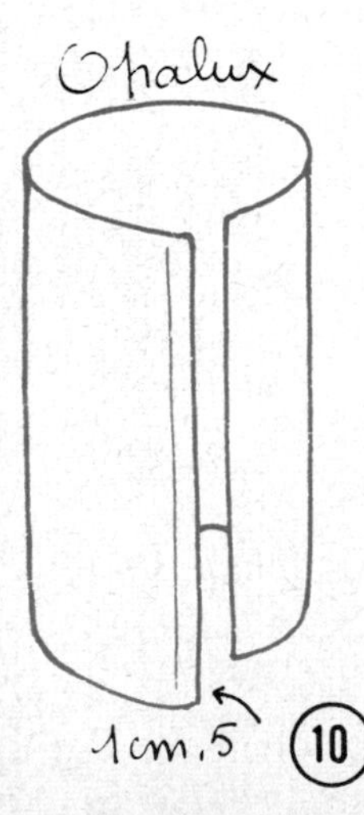

- Monter de même l'interrupteur et la pri mâle.
- Ne pas oublier de lester la boîte de qu ques cailloux ou de sable à chat.
- Coller ce cercle de carton sur la bande, l'aide de Scotch.
- Evider le trou pour le passage du fil dans bande décorée (8).
- Fermer ce rectangle en collant la ban prévue au bord.
- Encoller la bande de carton autour de boîte. Enfiler le cylindre ajouré dessus de çon que les trous pour le passage du fil co cident bien (9).
- Découper dans l'Opalux un rectangle 24 cm x 37 cm.
- Encoller le bord sur 1,5 cm et fermer. Il plus facile de se guider sur un trait léger tra à 1,5 cm du bord (10).
- Poser ce cylindre à l'intérieur de la lamp Vérifier qu'il passe bien et qu'il ne gêne p le pliage du papier.
- Encoller d'un fil de colle le tour de la ba et le coller en place.
- Bien redresser toutes les parties pliées l'intérieur du cylindre.
- Mettre l'ampoule.
- Pour changer la couleur de l'éclairage, c couper dans la Rhodialine un rectangle 24 cm x 37 cm. Sans le coller, le former cylindre et le placer à l'intérieur de l'Opal

VARIANTES

- Si l'on décale le dessin de chaque rect gle découpé (de 5 mm par exemple) on obti un effet d'enroulement en spirale.
- Si l'on plie les petites bandes E en leur ce tre (ici simplement courbées) la lampe, au l de ronde, est hexagonale.

Et bien entendu on peut varier les découp à l'infini.